# O CAÇADOR CIBERNÉTICO
## DA RUA 13

Copyright © 2017 by Editora Malê
Todos os direitos reservados.

Edição: Vagner Amaro
Revisão: Leia Coelho e Isabel Espirito Santo Nascimento
Capa: Pedro Sobrinho
Ilustrações de capa e miolo: Rodrigo Candido

Texto revisado segundo o novo
Acordo Ortográfico da Língua Portuguesa.
Proibida a reprodução, no todo,
ou em parte, através de quaisquer meios.

---

K11c Kabral, Fábio
 O caçador cibernético da rua treze/ Fábio Kabral. – Rio de Janeiro:
Malê, 2017.
 208 p.; 21 cm.

 ISBN 978-85-92736-18-7
 1.Ficção brasileira 2. Afrofuturismo I. Título
                                                    CDD – B869.3

---

[2017]
Todos os direitos reservados à
Malê Editora e Produtora Cultural Ltda.
www.editoramale.com.br
contato@editoramale.com.br

FABIO KABRAL

# O CAÇADOR CIBERNÉTICO DA RUA 13

malê

# Sumário

**11**
1. O Caçador Cibernético da Rua Treze

**21**
2. Brisa Noturna na Cidade dos Fantasmas

**27**
3. O Urro da Garota Furiosa

**33**
4. A Parceira Camarada dos Velhos e Bons Tempos

**43**
5. Doutora das Folhas Verdes

**51**
6. Cachorrinho Obediente na Escolinha Mágica

**57**
7. O Caçador Cibernético da Rua Treze 2

**69**
8. Quatro Jovens Trajados de Preto

**77**
9. Quatro Jovens Trajados de Preto 2
(Sangue da Inocência Remix)

**87**
10. O Caçador Cibernético da Rua Treze 3
(A Marcha dos Cérebros Violentados)

**97**
11. O Caçador Cibernético da Rua Treze 3
(A Marcha dos Cérebros Violentados)

**111**
12. O Urro da Garota Furiosa 2
(Menina de Destruição em Massa Remix)

**121**
13. Sangue Demais em Nossas Mãos

**131**
14. O Surto

**137**
15. O Surto 2
(Não Tire o Olho de Mim!)

**147**
16. O Surto 3
(Espaços de Insegurança Interna)

**157**
17. Doutora das Folhas Verdes 2
(As Folhas Funcionam!! Remix)

**169**
18. O Surto 4
(Morte! Morte! Morte!!)

**179**
19. O Surto 5
(Ódios Esquartejantes Remix)

**197**
20. Todas as Coisas Vivem

*João Arolê tem que se redimir com o seu passado, antes que o passado volte pra matá-lo!*

Bem-vindos a Ketu Três, a Cidade das Alturas! Uma metrópole povoada por pessoas melaninadas de todos os tipos, descendentes do Continente! Uma cidade de arranha-céus e carros voadores, repleta de entidades espirituais e tecnologias fantásticas movidas a fantasmas! Uma nação das Corporações Ibualama, governada por sacerdotisas-empresárias com poderes sobrenaturais! Um reino do Grande Rei Caçador dos Céus, Odé Ọṣọ́ọ̀sì...

O herói desta história é João Arolê, um jovem com implantes cibernéticos e poderes de teleporte e precisão dos antigos caçadores espirituais! Quando criança, Arolê sonhava em ser um astronauta, mas acabou se tornando... um agente assassino a serviço das Corporações. Hoje, trabalha como um herói de aluguel que caça espíritos malignos da Rua Treze; atormentado por pesadelos todas as noites, nosso jovem herói busca uma forma de compensar as mortes que causou, antes que os ancestrais cobrem o seu derradeiro preço...

No entanto, uma série de assassinatos envolvendo celebridades e pessoas importantes de Ketu Três está prestes a arrastar Arolê para uma trama sinistra, na qual um caçador vingativo do seu passado está retornando para um acerto definitivo de contas...

*"O Caçador Cibernético da Rua Treze" é uma história afrofuturista de ação cinematográfica e drama introspectivo, uma canção de heroísmo, ancestralidade e redenção.*

Antes de olhar para o céu,
salve este mundo inteiro que há dentro de você.

## 1. O Caçador Cibernético da Rua Treze

Ontem, João Arolê sonhava se tornar astronauta; hoje, acordou aos gritos de mais uma noite de pesadelos. Sentado em seu colchão flutuante, Arolê era só suor. Foi assim ontem, foi assim anteontem. E antes de anteontem. De cara fechada, resmungando muito, Arolê tremia.

João Arolê se levantou. Estava nu. Era alto. Magro. Pele bem escura. *Dreads* longos brotavam da cabeça. Braço e perna direitos tomados por tatuagens tribais esbranquiçadas. Braço esquerdo de metal reluzente. Metade direita do rosto também de metal. O olho direito era um monóculo azul.

Ficou ali em pé, tentando parar de tremer.

Aí tomou um susto:

— É isso mesmo, rainhas e reis de Ketu Três, a Cidade das Alturas! Aniversário da fundação de Mundo Novo! O maior evento dos nossos tempos! Está chegando! Fiquem ligadinhos! Este anúncio é um oferecimento das Corporações Ibualama. Ah, aqui entre nós, vocês sabiam que Hammond Igbo foi visto aos beijos com...

...blá, blá, blá. A televisão havia ligado sozinha de novo — sempre fazia isso quando estava entediada. Era aquele apresentador espalhafatoso de sempre quem tagarelava as notícias. Arolê coçou os *dreads*, olhou pro quarto: roupas, estatuetas, vasos, máscaras, fio de contas na mesa. A TV ainda falava um monte:

— Informamos com pesar o falecimento de Luciana Isanbò, 33 anos, executiva da firma Kòifé, assassinada na madrugada de ontem. Encerra-se de forma brutal a trajetória promissora da jovem brilhante... Luciana era filha de Gertrudes Isanbò, renomada sacerdotisa-empresária das Corporações... As autoridades ainda sem pistas... Especula-se que o assassino seja capaz de atravessar dimensões sem deixar vestígios e...

Arolê fechou a cara de novo. Resmungou. Trocou de canal. E aí...:

— Encerram-se hoje as inscrições para o programa espacial Astronauta Azul. O programa visa a preparar jovens cadetes que vão montar nos *bulu eié*, pássaros espirituais azuis treinados para voar através das estrelas. Os candidatos precisam ser *ẹmí ẹjẹ*, e são desejados especialmente os que possuem habilidades de *teleporte psíquico*...

João Arolê xingou bem alto. Desligou a televisão na hora. Xingou outra vez, xingou por ter xingado. Parou, respirou. Vestiu camiseta branca, calça justa, jaqueta jeans clarinha. Pegou o fio de contas azul-turquesa que estava em cima da mesa; beijou o *ofá* de prata em meio às contas, colocou o fio em volta do pescoço. Apertou o botão auditivo no local onde deveria haver sua orelha direita. Quase xingou outra vez, mas parou a tempo. Piscou e desapareceu em pleno ar.

*"Você fracassou. O sangue continua jorrando daquelas feridas. Não adianta fingir."*

João Arolê apareceu bem no meio da calçada da Rua Treze. A Rua Treze era a maior e mais movimentada avenida de Ketu Três; uma linha reta que atravessava todos os 13 círculos concêntricos da metrópole – os 13 Setores – e cortava um sem-número de avenidas e ruas ao longo do seu percurso. Árvores e plantas de vários tipos ornavam as calçadas do início ao fim. Arolê havia saído no Setor 9 da Treze, cheio de prédios espelhados e em cujo chão de pedra deslizavam carros losangulares que flutuavam a milímetros do chão. O sol brilhava forte; ouvia-se blues espiritual e jazz ancestral, poetisas de soul cantando novos *hits* nos telões holográficos; circulavam pelas calçadas mulheres e homens – e gêneros indefinidos – com ternos coloridos, tranças e *black powers*, conversavam, jogavam e trabalhavam em seus dispositivos enquanto andavam – ou voavam; jovens com escarificações, pinturas corporais, saias multifacetadas, tranças enraizadas, *dreads* curtos e topetes crespos, cabelos pintados de roxo, rosa, azul, verde, amarelo e vermelho, togas psicodélicas, calças geométricas; senhores e senhoras grisalhas, repletos de colares de ouro, pedras e ossos, flutuavam com aparelhos antigravitacionais e levavam suas serpentes, lagartos, aranhas e outros animaizinhos para passear.

João Arolê olhava para aquelas pessoas ao seu redor, todos, tais como ele, descendentes do Continente: dos de pele muito preta aos amarronzados mais claros, todos com traços melaninados, narizes e lábios e cabelos, dos *ẹmí ẹjẹ* – a minoria dominante que possui dons especiais do sangue dos espíritos – à maioria de gente comum, eram todos pessoas da melanina, herdeiros do Mundo Original.

A grande imagem de TV projetada no prédio alto da firma Kòifé anunciava os destaques do momento; aí apareceu aquele apresentador insuportável de novo:

— Boa tarde! Caríssimos cidadãos de Ketu Três, a Cidade das Alturas! Filhas e filhos de nosso Babá Odé Ọṣọ́ọ̀sì, o Rei Caçador dos Céus! Como estão todos vocês neste dia ensolarado? Oh, a Libertação Láurea, é isso mesmo! Rainhas e reis, é isso mesmo! O aniversário da fundação do Mundo Novo! Está chegando a grande festa de comemoração do nosso triunfo sobre os alienígenas! Este anúncio é um oferecimento das Corporações Ibualama. Aproveitem também para baixar o novo aplicativo Majestade 6, você se sentirá muito mais saudável e magnânimo...

...etc e tal.

João Arolê foi seguindo o fluxo, rumo a lugar nenhum, mas aí todo mundo parou, olhou para cima: era a Presidenta Ibualama, na forma de uma holografia gigante, azulada, se erguendo por entre os prédios da torre Igbo e da firma Kòifé; todos pararam na hora com o que quer que estivessem fazendo para ouvir as palavras da Presidenta, a mais velha, a sacerdotisa de Babá Ọṣọ́ọ̀sì; a líder do conselho das treze Ceo$_s$ anciãs; chefe e mãe de todas as pessoas da Cidade; e todo o mundo de

Ketu Três, todos se ajoelharam, prestaram reverência; e ouviram suas palavras.

Foi então que Arolê atentou para as seguintes palavras do discurso:

"...*e lamentamos profundamente o assassinato da jovem Luciana Isanbò. Mais uma vida interrompida de forma brutal. Os antepassados estão vendo. Essas mortes criminosas, abomináveis, os antepassados estão de olho. Os caçadores ancestrais cobrarão o seu preço.*"

João Arolê cerrou o punho com tanta força que quase rasgou a própria mão.

O discurso terminou. Todos se levantaram, retornaram para seus afazeres. Foi então que Arolê sentiu um arrepio; se virou; viu uma oficial uniformizada, de azul e amarelo, bem diante de si; ela disse:

— Com licença. Acabamos de registrar no senhor uma concentração muito alta de sentimentos hostis; será que faria a gentileza de nos acompanhar? Diminua seus escudos mentais para que seja feita uma leitura mais precisa...

João Arolê não disse nada. Outros dois guardas apareceram; eram do Àkọsílẹ Oju, empresa de segurança que funcionava como os "olhos do público" em Ketu Três.

— Senhor — disse um dos guardas –, por gentileza, pedimos que abaixe seus escudos mentais...

Arolê ficou olhando. A oficial falava, os outros levavam as mãos às lanças de metal na cintura. João Arolê então piscou e se teleportou.

*"Não adianta fingir que não aconteceu. Não adianta negar todas as feridas jorrando sangue."*

João Arolê apareceu na Sapiência, sua livraria predileta. Foi direto pra seção de quadrinhos; pegou o gibi mais novo de *As aventuras de Erinlé*, folheou as páginas; seu olho direito – que era um monóculo azul de safira – registrava as imagens e diálogos; no salão, pessoal sentado aos montes nas almofadas, garotinhos fuçando prateleiras, livros flutuando, crianças voando atrás de animaizinhos robôs na seção infantil, jovens jogando em *tablets* de madeira nobre...

*Beep beep.* Era o botão auditivo de João Arolê – onde antes havia sua orelha direita. *Beep*. Arolê atendeu:

— Alô. Sim, João Arolê. Ah, olá, Maria. Tudo ótimo. Sim, pode falar. Ah, bacana. Certo. Outra hora a gente se fala. Beijo, Maria, até.

*Clic.*

Talvez João Arolê tenha sorrido. Voltou pro gibi. *Beep beep.* Outra ligação. *beep beep*:

— Pronto. Oi, Nina. Como vai? Não, não me inscrevi no Astronauta Azul. Ah, tenho mais o que fazer. Eu sei. Valeu, Nina. Hum. Os figurões que estão sendo mortos? Estou sabendo... Se isso é coisa *dele?* – João Arolê fechou a cara – Olha.... *Beep beep.* Nina, outra ligação. *Beep beep.* Depois nos falamos. Tchau. *Beep beep.*

João Arolê xingou um palavrão. *Beep beep.* Atendeu à terceira ligação:

— Alô?, sim, João Arolê. Hum. Sim, entendo. Sim. Pode deixar. Rua Treze número 49, Setor 3. Estarei aí em dois segundos.

*Clic.*

João Arolê apertou o botão auditivo; deixou o gibi, se encaminhou pro banheiro; entrou, fechou a porta. Desapareceu.

*"Elas continuam chorando sangue. Nos mate, por favor, nos mate! Continuam se afogando nos gritos. Gritos, gritos, gritos! Os gritos continuam sangrando. E você não faz nada. Nada!"*

João Arolê apareceu diante de um sobrado velho no Setor 3 da Treze, na Aldeia Leste. Gritos lá de dentro. Arolê estendeu a mão, apareceu uma lança de metal de um metro e meio de comprimento, com penas azuis e ponta de cristal translúcido.

Arolê entrou no sobrado número 49, uma senhora veio correndo ao seu encontro:

— Socorro! Eu que te chamei! Um *ajogun* tá devorando meus filhos!

— Entendi, senhora, pode deixar comigo.

João Arolê subiu as escadas; fim de tarde, estava escuro lá dentro; chegou ao quarto, gritos, barulho de coisas sendo jogadas pra todos os lados; um garoto desacordado no chão, outros encolhidos no canto, gritavam socorro; garrafas, brinquedos e aparelhos eram arremessados por algo invisível; Arolê ajustou seu monóculo azul biônico, viu o *ajogun* emanando de um aparelho de som no meio do quarto: uma massa borbulhante de bocas deformadas e tentáculos de pés e mãos; a coisa urrava, babava; tentáculos foram lançados, Arolê se esquivou, esticou o braço cibernético – que se estendeu todo como se fosse borracha metálica; alcançou, tocou o interior do monstro; desapareceu dali junto com ele.

"*Gritos. Continuam gritando, mesmo com as gargantas perfuradas. Muitos gritos.*"

Apareceram em cima da laje; João Arolê rolou no chão, o braço metálico tremia todo; o monstro parecia ter crescido; urrava: *Me devolve! Me devolve, me devolve! Vou te arrebentar!* Arolê se levantou, saltou para se esquivar de dois tentáculos, o monstro se contorcia, gritava por todas as suas bocas: *Devolve, devolve, devolve! Vou te matar! Seu desgraçado! Vou te matar! Devolve devolve devolve!* – o monstro chicoteou com quatro tentáculos duma só vez, Arolê desapareceu, reapareceu atrás, o monstro chicoteou por trás com dois tentáculos, Arolê desapareceu e reapareceu bem em cima, a coisa levantou todos os tentáculos pro alto, Arolê apareceu bem na frente do monstro, enfiou sua lança com toda a força do seu braço cibernético; o monstro soltou um monte de gritos, e se desfez no ar.

João Arolê caiu de joelhos, com o aparelho de som bem fincado na sua lança.

"*O chão era um mar de vômito e sangue. Vômito e sangue que implorava aos gritos por misericórdia. E você não fez nada.*"

João Arolê apareceu em seu apartamento. Era bem tarde da noite. As tatuagens estavam ardendo um monte. Tirou a roupa, deixou de qualquer jeito no chão. A televisão se ligou sozinha de novo e de novo o apresentador afetado estava falando:

— Rainhas e reis, o clima de comemoração está em toda parte! Vamos celebrar nossa herança, vamos celebrar a vitória dos nossos antepassados! O clima de festividades já chegou ao comércio! Vários descontos nos produtos, novos tecidos costurados diretamente pelas zeladoras dos ancestrais; e agora, vamos com as notícias, o programa Astronauta Azul começou a....

Arolê desligou a TV, desligou os sistemas cibernéticos do seu corpo, desligou as luzes... só não conseguiu desligar sua cabeça; e os choros e gritos, repletos de sangue e vômito, seguiram ecoando em mais um sono sem descanso.

## 2. Brisa Noturna
## na Cidade dos Fantasmas

João Arolê no banho. Foram cento e sessenta flexões com um braço só, duzentos abdominais. Suor, exaustão. Banho, banho. Água aliviando o braço cibernético, tecnologia espiritual de ponta, bem como o monóculo azul e o botão auditivo; água fria penetrando naquela parte da bochecha em que a pele se encontra com o metal. Arolê desligou a água, ficou parado um tempo; *dreads* encharcados se balançando; daí que o monóculo biônico começou a se mexer pra lá e pra cá, olhando frenético pra lugar nenhum; o braço cibernético também se agitando, perdendo forma; João Arolê começou a tremer, balbuciar; aí piscou e desapareceu.

Reapareceu no terraço do seu prédio, uma construção velha na parte média da Rua Treze, no Setor 6. Ventava. No horizonte, erguiam-se os arranha-céus de Ketu Três, ornados com luzes, folhas e raízes; apontavam para o alto, como se quisessem alcançar as divindades. Só que os grandes ancestrais já estavam entre nós.

Do alto dos maiores prédios e pirâmides de Ketu Três, sentados em seus tronos invisíveis no Òrun, aos pés do Grande *Olódùmarè*, estavam os *Odé*, os grandes caçadores espirituais, a realeza ancestral da primeira cidade de Ketu; eram esses os poderes cujo *asé* movimentava os sistemas operacionais mais importantes: geradores de energia, processadores de água e comida, fábricas de equipamentos e dispositivos, bibliotecas com os segredos do mundo; dizia-se que tamanha fartura provinha das aventuras vividas pelos caçadores ancestrais nas matas espaciais do universo – os *Odé* jamais descansavam do seu papel para com seus filhos. Já os fantasmas e ancestrais familiares estavam por toda parte, da menor folha à maior árvore, do menor parafuso ao maior dos prédios, se agitando no interior de toda a tecnologia de Ketu Três: carros voadores, trens fantasmas, telefones psíquicos, computadores e *tablets* que davam acesso à teia espiritual. Se do Òrun o governo de Ketu era dos *Odé*, aqui no Àiyé o governo de Ketu Três pertencia às Corporações Ibualama – as quais eram chefiadas pelo conselho das treze matriarcas, as grandes Ceo$_s$ sacerdotisas, as maiores de todos os ẹmí ẹjẹ; dizia-se que em seus dons espirituais eram superadas somente pelos maiores ancestrais.

A metrópole se remexia numa confusão de brilhos, perfumes e hologramas; João Arolê apertou o botão auditivo; regulou, fechou os olhos. Deitou nu como estava no terraço. Dormiu.

Dia seguinte. João Arolê assistia à TV. Bocejava. Foi passando os canais. E aí...

— Interrompemos este programa para informar o falecimento da senhora Norivalda Oluponã, 182 anos, Doutora em Políticas Corporativas Ancestrais, aspirante ao conselho das anciãs e Diretora Corporativa do Departamento de Façanhas Atléticas das Corporações

Ibualama; a causa da morte não foi confirmada oficialmente pelas autoridades, mas fontes que não quiseram se identificar afirmam que a senhora Oluponã foi assassinada com um golpe perfurante no olho direito. A comunidade está chocada com esse crime hediondo, que perturba a ordem natural dos ancestrais...

Arolê soltou um grunhido; piscou e trocou de canal:

— ...foi mais um oferecimento das Corporações Ibualama. E é isso mesmo, rainhas e reis de Mundo Novo! Em breve, vamos comemorar o aniversário da nossa Libertação Láurea! Ah, escutem essa, o gatíssimo Hammond Igbo assumiu namoro com a Fernanda Kòifé...

Aquele apresentador afetado de novo. Arolê desligou a TV. Se levantou. Vestiu jeans e camiseta claros. Saiu.

Foi saltar por cima dos edifícios, de prédio em prédio. Acocorou-se no topo de árvores mais altas. Realizou varreduras com seu monóculo de lente azul.

Nada aconteceu por um tempo...

...Até que, enfim, ouviu gritos de socorro.

Teleportou-se pro chão, numa travessa estreita. Os gritos se aproximaram, Arolê estendeu a mão, a lança apareceu.

— Socorro! Socorro! Um rato!!!

João Arolê levantou uma sobrancelha. Quem gritava era um rapaz magricela, de roupas coloridas, e pele muito, muito preta; atrás dele, veio um ratinho; Arolê tirou o garoto do caminho...

... e se esquivou a tempo de um golpe invisível que pulverizou parte da parede.

Arolê parou diante do ratinho e se esquivou outra vez de mais um golpe violento; ajustou o olho biônico e viu o *ajogun* — uma coisa grande, de vários braços, cabeças grudadas umas nas outras – emanando das costas do ratinho. João Arolê teve de se esquivar de mais pancadas; conseguiu chegar perto do bichinho; um golpe rápido, o ratinho estava espetado na ponta da lança.

Arolê ficou olhando pro ratinho se contorcendo, respirando pela última vez.

Enquanto isso, o rapazinho seguia correndo; aí gritou quando Arolê apareceu de repente na sua frente; e soltou um gritinho quando viu o ratinho ainda espetado na ponta da arma.

— Pare de gritar — disse Arolê.

— S-sim, senhor — disse o jovem.

João Arolê olhou pro garoto: roupas de tecido muito caro; pele muito preta — o que indicava que devia ser de altíssima estirpe, filho de alguma sacerdotisa dona de empresas, ou de alguma celebridade. E com certeza era um *ẹmí ẹjẹ*...

— Qual o seu nome? — perguntou Arolê.

— R-Rafael, senhor — gaguejou o rapaz — Rafael Igbo.

Arolê engasgou. Arregalou o olho natural.

— Quê? Rafael Igbo?!

— S-sim.

Arolê ficou olhando por um tempo. O rapaz olhava pro chão. Arolê continuou olhando. Depois de um tempo, João Arolê disse:

— Meu pagamento.

— Senhor?

— João Arolê. Acabei de te salvar dum *ajogun*. Tenho contas pra pagar.

— Mas, senhor Arolê, é que... Senhor Arolê, por favor.

O monóculo biônico do Arolê brilhou num tom sinistro; Rafael Igbo levou a mão à carteira.

No alto de uma árvore alta, tão alta quanto as maiores torres da Cidade, n'algum lugar do Setor 8, João Arolê estava acocorado, como se fosse um animal, em silêncio. Ficou ali parado quase que a madrugada inteira.

Já era quase de manhã quando João Arolê apareceu no seu apartamento, tirou a roupa, tirou o colar de contas, se ajoelhou, realizou uma prece; terminou, se jogou na cama. Olhava pro teto. Nada aconteceu. Piscou o monóculo, as luzes se apagaram. Arolê continuou olhando pro teto, sem fechar os olhos por horas.

## 3. O Urro da Garota Furiosa

A música tocava bem alto; voz rasgada da cantora, praticamente um urro que se espalhava por todos os cantos da canção; além disso, havia a guitarra agressiva, o baixo, a bateria mirabolante; mas era o coral e os tambores que davam à música a grandiosidade de que João Arolê tanto gostava... era o *bombastic soul metal* dos *Apoju Igbe*, sua banda predileta.

Minutos antes, João Arolê tremia na cama; tentava se mexer, não conseguia; puxava forças, balbuciava; forçou, apertou o botão auditivo; faixa 1 do novo disco dos *Apoju Igbe*, *Nas Asas do Falcão*; Arolê começou a rugir com a música, conseguiu se mexer; veio a bateria pesada, tambores estourando, a guitarra dilacerando, veio o gutural da vocalista; raiva, sentimento, poder! João Arolê rosnava a letra, se levantava, estava de pé, mais um dia pela frente, sentia o sangue ferver novamente.

Quantos dias havia passado tremendo e suando na cama? Quantas semanas? Abria o olho, não acordava de verdade; fechava a pálpebra, via *"o grupo dando saltos, de prédio em prédio, até alcançar a cobertura onde o velho morava; sacaram suas lanças, perfuraram qualquer coisa que respirasse; os gritos sangrentos explodiam"* até João Arolê abrir os olhos, suando, tremendo.

No banheiro, João Arolê olhava-se no espelho, o próprio rosto, olhou bem: sua metade direita, arruinada, revestida com titânio; orelha que não existia, era um botão; o olho, um monóculo azul; onde a pele se encontrava com o metal, as marcas de queimadura persistiam; já a parte natural era o rosto de um homem melaninado, com traços característicos de um descendente do Continente. No couro cabeludo, *dreads* bem longos, chegando à cintura. Olhou pro próprio corpo: magro, músculo; cicatrizes; braço e peito esquerdos, de metal reluzente, maleável; a metade direita, coberta de tatuagem, uma tribal esbranquiçada, no braço, na perna, na barriga; ardia como se fosse recém-feita. Uma zona. João Arolê amarrou o cabelo pra trás num rabo de cavalo com os próprios fios. Continuou lavando o rosto. Estava tudo uma bela zona.

  João Arolê foi pra rua ouvindo *Apọju Igbe*, andando do seu apê no Setor 6 até o Setor 8; vestia camiseta branca, calça jeans justa. Passou por transeuntes apressados; alguns voavam, outros desfilavam pelas calçadas com togas multicoloridas. Duas moças, uma cabeça raspada e outra com cachos volumosos, passaram de mãos dadas, sorriam, parecia um casal feliz. Arolê seguiu olhando para as pessoas, para as árvores na calçada, pros pássaros azuis que voavam ao redor das árvores... *Beep beep*:

— Alô. Oi, Maria. Tudo bom? Sim. No Estrela Fanfarrões? Marcado então. Até breve...

*Clic*. João Arolê sorriu de leve; apareceram na calçada duas guardas do Àkọsílẹ Oju; João Arolê parou de sorrir; apertou o botão auditivo, desejou bom dia;

elas passaram direto. Arolê suspirou. Seguiu. Chegou ao Parque das Águas Verdes.

Parque das Águas Verdes, um dos maiores parques florestais de Ketu Três, uma área imensa que se estendia por quilômetros, uma verdadeira floresta do mundo antigo: plantas gigantes, odores verdes e vermelhos por todos os cantos, folhas e flores maiores que pessoas, troncos mais grossos que prédios, cipós gotejantes, gotas de orvalho tão grandes quanto lagos, rios tagarelas, formigas maiores que cães.

E havia pessoas. Pessoas vestidas de branco; várias, indo e vindo, concentradas, entoavam cantigas, ajoelhavam-se; oravam, banhavam-se com as águas, traziam alguidares com comida, carregavam frutas, animais; realizavam oferendas, preparavam *ebós*, trabalhavam nos alimentos, nos sacrifícios; caprichavam nas práticas tradicionais, compartilhavam *asé* entre si. Cultuavam os ancestrais; e os ancestrais sorriam, satisfeitos.

João Arolê parou numa clareira; no centro, um tronco enorme, partido. Ficou olhando o tronco; se ajoelhou, estendeu as mãos; um alguidar com doces apareceu; deixou o alguidar em frente ao tronco. Fechou os olhos. Sussurrou:

— Me desculpem. Me desculpem...

Saindo do Parque, ligou o som do *Apọju Igbe* no máximo. João Arolê caminhou pelas calçadas do Setor 8 da Treze. Parecia mais relaxado...

...até cair de joelhos quando ouviu o urro mais aterrador de todos os tempos.

Ali no meio da calçada, de onde todas as pessoas tentavam fugir pra bem longe, João Arolê viu que aquele urro saía de uma menina: pequena, muito magra, de tranças, roupas largas, manchadas de vermelho – havia uma poça de sangue aos seus pés; o rosto da pequena era uma careta de ódio; ela urrava um grito tão tremendo, tão repleto de fúria, que parecia despedaçar a própria razão das pessoas; a maioria corria numa debandada, enquanto outros caíam de joelhos e choravam. A menina se balançava, gritava e socava o chão, e aquele chão duro de pedra ancestral se rachava todo como se fosse feito de vidro fino. Arolê precisou se forçar pra ficar de pé; viu quatro guardas chegando; vestiam o vermelho e branco de sangue e morte da empresa Aláfia Oluṣọ; os guardas foram sacando lanças *laser*, apontaram pra garota, atiraram; João Arolê correu, pegou no braço da garota, e ambos desapareceram dali.

Apareceram num prédio vazio; a menina tentou golpear Arolê, que se esquivou numa pirueta; ela então ergueu um pedação de sucata; aí do nada apareceu um guarda da Aláfia Oluṣọ; João Arolê se desviou da lança do guarda, depois se teleportou pra evitar a sucata arremessada pela garota; quando reapareceu, o guarda já estava no seu calcanhar, a garota foi correndo pra cima dos dois; o guarda atirou nela, só a deixou mais brava; ela acertou o guarda com uma pancada tão forte que deu pra ouvir todos os ossos se partindo... ele caiu, não se levantou mais; Arolê se teleportou pra detrás dela, acabou tomando pancada também; se defendeu a tempo com o braço metálico; a garota socou o chão, tudo tremeu, ela rosnou... e depois bocejou, caiu no sono. Roncou até. João Arolê se levantou, cuspiu sangue; daí sentiu um arrepio; estendeu o braço biônico até a menina, tocou-a no pé e juntos desapareceram, segundos antes de outros dois guardas da Aláfia Oluṣọ surgirem do nada.

## 4. A Parceira Camarada dos Velhos e Bons Tempos

— Está tudo bem, senhora minha mãe. Sim, estou me alimentando bem. Sim, estou no trem, por isso essa barulhada toda... vou visitar a senhora assim que puder, prometo... não, não me inscrevi no Astronauta Azul... não estou triste... tenho que desligar agora, mãe. Me desculpe. Até breve...

*Clic.* João Arolê suspirou. Olhou de soslaio pra garota encolhida no assento ao seu lado, quieta e desanimada – nem parecia ser a mesma fera furiosa de ontem, que havia causado aquela confusão dos diabos com gritaria e quebra-quebra. O nome da pequena de tranças era Jamila. Estavam Jamila e Arolê num vagão lotado de trem.

O Trem Fantasma da Linha Treze pegava toda a extensão da Rua Treze; parava em todos os seus treze setores e ramificava para várias outras linhas. Era um losango enorme, feito de madeira e metal, dividido em treze vagões nos quais circulavam milhares de pessoas todos os dias. O condutor era um fantasma velho e rabugento, que reclamava tanto, mas tanto, que fazia o trem ser barulhento pra caramba; a maioria das pessoas já estava acostumada.

— Como você está? – perguntou João Arolê à Jamila.

— Hã... – a menina pareceu se assustar com a pergunta –, eu devia voltar pra casa. Tipo, agora. Meu pai deve estar preocupado. Tenho muita coisa pra fazer. Pra onde a gente tá indo?...

Aí ela se calou quando viu um guarda de azul e amarelo do Àkọsílẹ Oju entrando no vagão.

— Fica calma – disse Arolê.

— Mas, mas, mas...

— Esvazie a cabeça.

— Não consigo!

— Engula essa pílula. Agora!

O guarda veio passando por entre as pessoas; olhou pra Jamila: uma garota pequena, magrela; tranças crespas, longas; vestia calça, blusa, tudo folgado demais.

De repente, ela começou a tossir.

— Algum problema, senhorita? — perguntou o guarda. Jamila continuava tossindo.

— Bom dia – interveio João Arolê.

— Bom dia, senhor – respondeu o guarda.

— Minha irmã não está se sentindo muito bem. Estou levando-a pra casa agora.

O guarda ficou olhando Jamila por um tempo. Ela apenas tossia.

— Certo – disse o guarda, por fim. – Cuide melhor da sua irmã, sim?

— Claro – disse Arolê.

O guarda seguiu pro próximo vagão; João Arolê suspirou, enquanto a tosse da Jamila era abafada pela barulhada tremenda do velho trem.

*Beep beep*. Estavam os dois andando numa viela, nas proximidades da estação de trem. *Beep beep*. João Arolê soltou um resmungo. *Beep beep*. Jamila perguntou:

— Não vai atender?
*Beep beep.* Arolê resmungou de novo. Apertou o botão auditivo. Atendeu:
— Oi, Maria. Saudades também. Estive ocupado com trabalho. Hum. Caso queira, nós podemos... Isso. Vai ser bacana. Ansioso também. Maria, tenho que desligar agora. Estou num serviço agora. Beijos. Até mais...
*Clic.*
— Era a sua namorada? – perguntou a Jamila, de supetão.
— Quê?
— Você está sorrindo.
João Arolê parou de sorrir.
— Sabe... – Jamila continuou –, eu tenho uma namorada também. Chama-se Fernanda. Ela é linda... Também tenho muitas saudades!... Será que a sua namorada Maria é tão linda quanto a Fernanda...? Você... você gosta dela?
João Arolê não respondeu.
— Ah... quem é que construiu as suas... partes? – disse Jamila, mudando de assunto. – Esse seu braço... oh!
A menina meteu as duas mãos no braço metálico de um contrariado João Arolê; ela ficou em silêncio... então começou a dizer:
— Consigo sentir. O metal de que é feito o seu braço. Está vivo. Consigo perceber a energia. O seu braço é... é um aglomerado de seres minúsculos. É um tecido vivo de circuitos. Transmissão de elétrons ocorre por

meio de melanócitos. O seu braço... é um aglomerado de minúsculos seres tecnorgânicos. Tecnovírus!... seu braço é todo feito de tecnovírus. Que belíssimo trabalho, meu pai Ògún...!

João Arolê levantou a sobrancelha. Jamila continuou:

— O dispositivo na sua cara remendada – Jamila apontou pro rosto do Arolê. – Titânio. Mas que acabamento grosseiro! Essa safira azul do olho artificial... essência espiritual cristalizada, capaz de ver espectros invisíveis de energia eletromagnética, ou seja, consegue enxergar espíritos. Também confere visão noturna. Certo. Esse botão auditivo, no lugar onde estava a sua orelha direita; escudos mentais, análise instantânea de dados, conexão com a rede espiritual...

Com cara de interrogação, João Arolê ficou olhando pra garota.

— O que foi? – Jamila perguntou –, se surpreendeu porque eu entendo dos seus brinquedos mais do que você próprio? Aposto que você só usa o botão auditivo pra telefonar, ou pra ouvir música. Ah. Você bem que podia cobrir tudo com pele de circuitos orgânicos... poderia ter um rosto, em vez dessa cara remendada...

Depois de um minuto que parecia interminável, João Arolê finalmente disse:

— Não é hora para brincadeiras. Vamos andando...

— Brincadeiras... – sorriu Jamila, andando ao lado dele.

Depois de um tempo, Jamila perguntou:

— Afinal, para onde estamos indo? Por que você não me fala?

— Calma.

Estavam no Setor 3, Aldeia Leste, próximo da Treze, uma área de casas de pedra e madeira, pintura colorida e trepadeiras verdes.

As casas barrocas que dominavam os Setores 1, 2 e 3 eram o que restou das moradias construídas pelos invasores alienígenas, tempos atrás; estes já não existiam mais, e as casas foram remodeladas, pintadas e arborizadas pelos atuais habitantes: o povo descendente do Mundo Original.

Pipocavam ali dezenas de centenas de pessoas: peles pretas, tatuadas, escarificadas, crespos, trançados, soltos, panos, mantos, jeans, camisetas estampadas, colares, pulseiras, *hip-hop*, *soul* tocando pelas ruas, sorrisos; era a gente comum de Ketu Três, a maioria da população, que andava no chão com os próprios pés, com muita dignidade; embora muitos ansiassem pelas alturas onde voavam os mais abastados dos Setores 8, 9, 10 e além. Ainda assim, era possível sentir o *asé* – a presença dos ancestrais, a majestade dos antepassados – em todas aquelas pessoas.

Depois de um tempo, Jamila perguntou:

— Onde estamos? Onde estamos? Para onde estamos indo?

— Quase chegando.

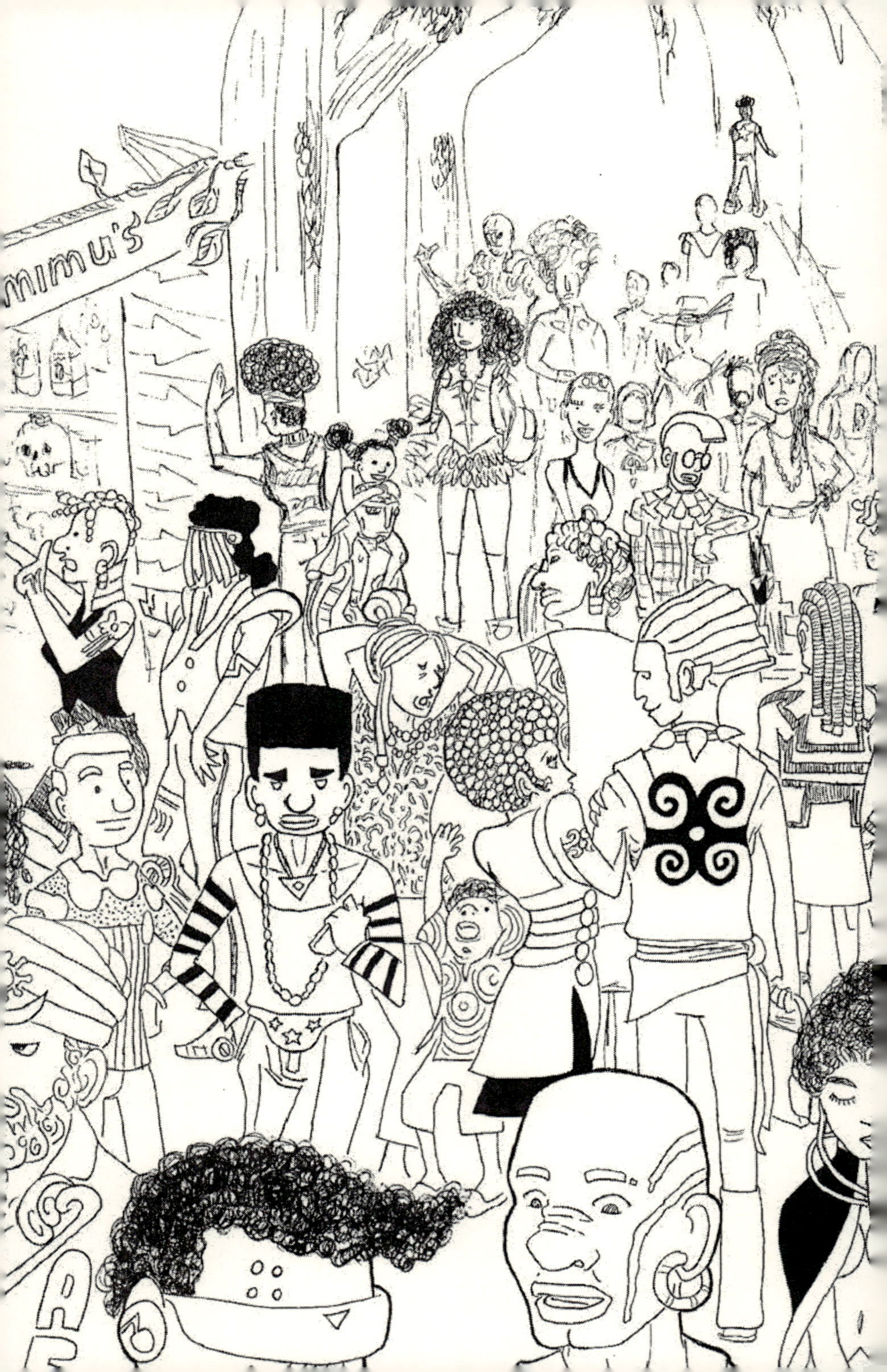
mimu's

João Arolê e Jamila seguiram andando, por entre as ruas, calçadas, evitando guardas, se misturando à multidão, andando, andando... até virarem numa travessa espremida, entre sobrados e entulhos cheios de mato; alcançaram um terreno baldio, em cujo chão de terra viam-se os restos do que deve ter sido uma casa. Estava tudo queimado.

— Bom – disse João Arolê –, é aqui.

— É aqui o quê? – perguntou Jamila.

— É aqui que a sua vida mudará para sempre, Jamila Olabamiji – disse uma terceira voz.

João Arolê imediatamente sacou a lança e se prostrou na frente da Jamila. Estavam cercados. Duas mulheres e três homens haviam aparecido do nada, todos armados com espadas, lanças e pistolas; além dessas pessoas, máquinas velhas e dispositivos arruinados ergueram-se dos entulhos de uma forma ameaçadora; cabos elétricos ganharam vida e pareciam até sibilar como se fossem serpentes. Jamila tremeu um pouco. João Arolê se posicionou de forma a defender a garota, enquanto analisava aquelas pessoas com seu olho biônico; segundos depois, relaxou, baixou a lança. E resmungou. Jamila fez cara de interrogação.

Uma das mulheres carregava um bastão bem grande, de ponta dupla; tinha um *black* pintado de roxo, usava blusa larga e shortinho; ela se aproximou, sorriu:

— Então essa é que é a menina Jamila. Que gracinha!

— V-você é muito bonita, moça – disse Jamila –, m-mas eu já tenho namorada...

As pessoas riram. Até as sucatas animadas e os cabos elétricos pareciam rir.

— Chega desse teatro – disse Arolê –, estão assustando a menina...

Um estalar de dedos, e as máquinas, dispositivos e cabos foram ao chão, inertes. Era a outra mulher. Uma moça que parecia ter a idade do João Arolê; toda vestida de preto, calça e camisa justos, exceto pelo chapéu, que era marrom; usava um fio de contas azul-marinho; tinha o cabelo crespo cortado bem curto; óculos de aro redondo e grande. Antebraço direito era de metal, igualzinho ao braço esquerdo de João Arolê. Tinha um sorriso de canto de boca.

A mulher se aproximou até ficar cara a cara com ele; e então disse:

— Você deixou de se inscrever no Astronauta Azul de novo, né?

— Que saco, Nina... – respondeu Arolê.

A mulher que se chamava Nina e João Arolê se deram as mãos, e beijaram a mão um do outro, ao mesmo tempo.

Pronto – disse Arolê – está entregue o pacote: uma jovem *ẹmí ẹjẹ*, que acaba de despertar, totalmente fora de controle... Boa sorte. Estou indo...

— Nossa, você não muda, hein, João? – disse Nina —. Um tempão que a gente não se vê! Vamos tomar umas! Conhece o meu pessoal? Essa aqui, que tá no papo telepático com a menina Jamila, se chama Joana; esses caras aqui se chamam...

— Não me interessa, Nina – interrompeu Arolê –, estou partindo, tenho mais o que fazer...

— Eles são os Iṣọtẹ, "aqueles que se rebelam" – disse a Jamila, de repente. – A Joana acaba de me explicar tudo usando a "voz da mente". Fantástico! Todos vocês são ẹmí ẹjẹ, ou seja, possuem dons sobrenaturais... Eu só via esse tipo de coisa pela TV! Seu grupo opera de forma independente, e se rebela contra as Corporações Ibualama basicamente para proteger a população comum dos mandos e desmandos da elite ẹmí ẹjẹ, para impedir que pessoas como eu sejam mortas ou usadas como armas. Você, líder dos Iṣọtẹ, se chama Nina Oníṣẹ, e é amiga de João Arolê há muitos anos... Nossa, você quem projetou e construiu esses membros tecnorgânicos? O seu também é? Fantástico, fantástico! Olha, sem falsa modéstia, eu, Jamila Olabamiji, sou uma inventora brilhante! Gostaria muito de conversar contigo a respeito desses procedimentos, gostaria de apresentar os meus projetos, minhas criações mais recentes...

João Arolê levou a palma da mão no rosto.

— Parabéns, Nina. Acaba de doutrinar mais uma...

— Olha aqui – Jamila se voltou para ele com o dedo em riste –, o que você quis dizer com "doutrinar"? Não ouse caçoar de mim.

— Para de fingir que é gostoso, João – disse Nina, dando tapinhas no ombro dele – usando as suas palavras: para de teatro. Vamos. Temos muito trabalho pela frente.

Passamos por muitas coisas juntos, eu e você; acho que já passou da hora de você...

— Já te falei, Nina – interrompeu João Arolê – tenho mais o que fazer.

E desapareceu em pleno ar.

## 5. Doutora das Folhas Verdes

João Arolê acordou sorrindo.

TV ligada, de novo. Resolveu passar uns canais:

— Olá, cidadãos de Ketu Três! Rainhas e reis da nossa belíssima cidade! Em seu pronunciamento, a venerável Presidenta Ibualama ratificou que o conselho das Ceo$_s$ anciãs se reuniu na noite de ontem para deliberar. "As contas estão em dia", disse-nos a senhora Domênica Alágbèdé, diretora executiva do Departamento de Tecnologia Sobrenatural. Informamos com pesar o falecimento do senhor Evaristo Osongbo, 106 anos, gerente sênior da empreiteira Osongbo, assassinado na noite desta quinta feira, o Àkọsílẹ Oju está agindo sobre o caso. Hammond Igbo não quis dar declarações sobre o término do seu relacionamento com Fernanda Kòifé. O programa Astronauta Azul está prestes a...

Arolê desligou a TV. Não estava suando nem tremendo. As tatuagens não estavam ardendo. Vestiu uma calça azul-celeste e uma camisa branca – deixou-a meio aberta, pra aparecer tanto a tatuagem tribal do peito direito quanto o peito metálico esquerdo. Colocou o fio azul com *ofá*. Deixou os *dreads* soltos caindo pelos ombros. Passou perfume de orquídea dos ventos, seu preferido. Amarrou as mangas até o antebraço. Sorriu mais uma vez. Saiu.

*"Mesmo que sorria, não vai esquecer. Não tem esse direito. Pode fingir o quanto quiser; as feridas*

*continuarão sangrando. Por que fez isso? Como é que teve a coragem?"*

Setor 3. Ruas de pedra rachada, veículos quadradões, cheiro abafado de plantas gigantes. Vários ritmos – samba, *funk, hip-hop, soul, jazz, blues* – vários aparelhos, pessoas cantando, dançando, fazendo umas piruetas doidas. Das crianças correndo atrás da bola, dos jovens de boné e roupas largas, às senhoras carregando trouxas pesadas na cabeça, era gente comum, sem super poderes, a maioria de Ketu Três – e por isso andavam no chão com os próprios pés, carregando seus próprios fardos, na labuta, muitos trabalhadores informais vendendo aparelhos velhos; guardas de patente menor do Àkọsílẹ Oju passavam por ali, turbantes e mais turbantes, vestidos leves, batas, panos em volta do corpo; João Arolê passou sorrindo pela multidão, tomou o trem até o Setor 9.

*"Era um senhor pequeno, sentado numa poltrona de pele, uma criança pequena no colo, devia ser seu netinho. A lança foi enfiada na cabeça dos dois. Ao mesmo tempo. O sangue continua jorrando. Você, o caçador, quem fez isso. Pare de sorrir."*

João Arolê saiu da estação no Setor 9 com uma expressão sinistra.

Mulheres e homens de terno azul vivo passaram por ele aos montes, crianças passaram correndo em super velocidade, jovens com crespos coloridos levitavam suas sacolas de compras. Arolê subiu as escadas da estação subterrânea, chegou à Treze, quase foi atropelado por

um voador; ajeitou os *dreads*, seguiu, olhou para as árvores que brotavam da calçada, olhou pro céu; nuvens se misturavam com pirâmides de vidro e aço, veículos losangulares rasgavam o ar, pessoas de terno colorido saíam voando dos prédios, o apresentador afetado falava novamente no telão de algum prédio das firmas Igbo...
*Beep beep.*
— Opa. Oi, Maria. Já chegou? Perfeito. Estarei aí em poucos segundos. Beijos...
*Clic.*
João Arolê entrou no banheiro mais próximo. Sorriu. Desapareceu.
Reapareceu num outro banheiro, uns 100 metros adiante. Saiu da cabine, parou no espelho, limpou o suor do rosto; verificou o brilho das suas partes metálicas, limpou a lente do olho biônico; ajeitou a gola da camisa, colocou os *dreads* para trás. Suspirou, saiu do banheiro; cheiros de café invadiram suas narinas – estava no Estrela Fanfarrões, a cafeteria predileta dos jovens de óculos grandes e roupas de cortes engraçados; estavam todos lá, pernas cruzadas nos assentos acolchoados, meninos magrinhos de trancinhas trocavam bitocas, garotas gordas conversavam alto, um grupo tagarelava em silêncio com a voz da mente, um rapaz solitário levitava de cabeça para baixo. O olho biônico do Arolê seguiu perscrutando todos os cantos da cafeteria à procura da pessoa.
E aí viu Maria Àrònì.

Era uma mulher tão alta quanto João Arolê. Cachos bastante volumosos e encaracolados alcançavam os ombros. Brincos esféricos brilhavam em suas orelhas. Vestia uma peça única, verde e branca, com umas geometrias surreais. Pele marrom, escura. Lábios bem grossos, pintados de branco. Uma bolsa de tecido marrom atravessava seu corpo. Corpo grande, curvilíneo, gordo. Olhos puxados, negros, que mais pareciam uma escuridão de mistérios e raízes profundas...

João Arolê realizou um esforço para não se deixar enfeitiçar assim logo de cara por aqueles olhos – que pareciam ser capazes de ler a sua alma em instantes.

— Você chegou. Sọu Maria Àrònì. Prazer!

O sorriso dela era discreto, porém radiante. Ela continuou:

— Vai ficar só me admirando sem dizer nada, garoto?

Arolê caiu em si.

— Oi. Meu nome é João Arolê. Prazer conhecê-la pessoalmente...

— Voz bonita. Hum, parece que valeu a pena papear contigo todo esse tempo na rede. Você todo é bem bonito.

— Ah. Hum. Obrigado...

— Vamos nos sentar? Aqui.

Maria tomou uma mesa num canto mais reservado. Arolê a acompanhou. Foram atendidos por um rapaz de crespos rosa; em três minutos vieram flutuando dois copos de café batido com um monte de folhas que Arolê não decorou, e dois bolinhos que pareciam bonequinhos; o atendente de cabelo rosa deu uma piscadela pro casal, e saiu para atender outros clientes.

João Arolê e Maria Àrònì estavam de frente um pro outro. Arolê mordiscava um dos bolinhos; Maria bebia café; encarava João com seus olhos negros; disse:

— Aquela pergunta clichê de sempre, né: o que faz da vida?

Arolê sussurrou:

— Sou um caçador de monstros. *Freelancer*.

— Ah. Então é você o famoso caçador de *ajoguns*...

— Famoso?

— Viche! Temos um senhor desligado aqui.

— Hum – Arolê parecia engasgar. – O que você... faz da vida?

— Sou médica. Curandeira com especialidade em folhas e banhos. Doutora Àrònì.

— Minha nossa! Doutora das folhas. Isso é bem raro. Então... então digamos que você possua dons *ancestrais*, por assim dizer...

— Ora, ora. Passa qualquer dia lá na Clínica das Folhas Verdes do Setor 4 quando precisar ser remendado. Afinal, distância não é problema para você, não é?

— Hum...

Continuaram conversando; Maria seguiu olhando para João Arolê, João Arolê tentando parecer firme quando seus olhos se encontravam com os dela; conversaram,

conversaram, passaram-se horas, talvez, talvez tenham se passado semanas, ou mesmo anos; quando terminaram, já estava escuro lá fora... então se levantaram, pagaram a conta; saíram, seguiram pela Treze, Maria tomou a mão do Arolê, sob as luzes alucinantes da Rua Treze; hologramas dançavam, anunciavam produtos, celebridades; caminharam, caminharam, chegaram à estação. Maria parou, e disse:

— Bacana esse primeiro encontro, hein? Conseguiu me manter entretida na conversa. Meus parabéns!

— Bacana, Doutora... – respondeu João Arolê, meio travado.

— Boa noite, Caçador...

Maria veio se aproximando. João Arolê permanecia parado, olhando...

...e seus lábios se encontraram.

*Em algum lugar, um novo mundo havia nascido. Árvores robustas, repletas de folhas verdes, brotaram com força do chão, já adultas, já intumescidas de frutos suculentos nascidos de flores brancas. De repente, caçadores armados com lanças e arcos saltaram loucos por entre essas árvores, em velocidades alucinantes, alvejando aqueles frutos redondos, enormes; começaram a devorá-los aos montes, desesperados de fome e sede... até que perceberam os olhos negros das árvores. Alguns caçadores até tentaram revidar, mas já era tarde – as raízes e folhas já os haviam abraçado pela boca, nariz e ouvidos... O odor verde se espalhou por todo aquele mundo, uma grande terra de matas fechadas para caçar e explorar; um mundo de caçadores paralisados, enfeitiçados pelos olhos negros das árvores de flores brancas e folhas verdes...*

João Arolê havia sentido de verdade o perfume de Maria Àrònì pela primeira vez.

— Boa noite, Caçador João. – Maria virou as costas e se foi.

Caçador João caminhou lentamente até o banheiro mais próximo; entrou na cabine, ignorou a cautela – evitava ao máximo saltar distâncias muito grandes num único teleporte – e desapareceu; apareceu em cima da sua própria cama, no seu apartamento no Setor 3, paralisado. Mal conseguia racionar direito. Era tarde demais – estava perdido na mata fechada, pois o feitiço verde da filha da floresta já havia surtido efeito.

## 6. Pensamentos Violentados

*Havia um tempo anterior aos pesadelos de hoje; houve os sonhos e descobertas de uma criança chamada João Arolê.*

*— Papai! Olha o que eu sei fazer!*

*O pequeno João piscou, e então desapareceu de repente da mesa da cozinha. Seu pai quase deixou cair a louça que estava lavando; com avental e tudo, foi correndo até a sala. Sua esposa lia um gibi na poltrona, a televisão ligada.*

*— Que correria é essa? – disse ela, sem tirar os olhos do gibi.*

*— Hã – disse o pai, quase sem voz. – Querida?*

*— Que é, Zé? Já terminou? Não vai ter jantar nenhum com a louça nesse estado...*

*— Oh! Menino... cadê o... o quê...*

*— Para de loucura. O trabalho hoje foi estressante demais! Lava logo a louça...*

*— Marina! – Zé exclamou. – O nosso filho...!*

*O filho apareceu em cima da Marina, sua mãe, que largou o gibi; o pequeno João escorregou, foi pro chão, Marina deu um grito; o menino desapareceu de novo; apareceu em cima do Zé, que segurou o filho no susto. O gibi balançava nas mãos do pequeno.*

*Marina e Zé ficaram parados, sem falar nada. Olhavam pro pequeno.*

— *Papai! – disse o garoto Arolê –, o senhor viu? Fiz que nem o moço do gibi! A senhora viu, mãe? Fiz que nem o moço do gibi, o Lelé!*

— E-Erinlé – *conseguiu dizer a mãe.* – É-é Erinlé.

— *Lelé! – disse o pequeno Arolê. – Posso ser astonauta?*

*O pequeno ficava repetindo, Lelé!, Lelé! Astonauta, astonauta!*

*Passou-se mais um tempo. Até que José Arolê tomou a palavra:*

— *Marina, querida. Terei de dar um telefonema...*

João Arolê acordou do cochilo no susto. As tatuagens ardiam. Olhou pros lados, regulou seu olho biônico para fazer um *scan* da área: ainda estava no Trem Fantasma da Linha Treze. Havia um total de 32 pessoas no vagão. Arolê tentou cochilar outra vez, mas o condutor fantasma anunciou que haviam chegado à estação do Setor 7. Arolê se levantou e deixou o vagão.

"*Otokán Sósó matou o pássaro monstruoso com uma flecha só e alcançou o topo do mundo. E você? Por que ainda continua se desperdiçando?*"

— Com todo respeito à sua reputação, senhor Arolê. Você dá conta?

— Sim, senhor diretor. Creio que meus resultados falam por mim.

Era uma sala em que havia uma grande mesa de madeira, dispositivos de leitura e um senhor de bata colorida, barba grisalha, óculos redondos, turbante branco: o Diretor do Centro de Literaturas Orais e Escritas, professor Francisco Oludolamu.

— Veja bem – disse Oludolamu, enquanto ajeitava os óculos –, não estou duvidando de sua capacidade! É que...

— Sigilo total.

— Não é isso – disse o professor Oludolamu, tremendo –, eu quero que... eu preciso que você *destrua tudo*. Não deixe sobrar *nada*!

– O senhor está certo disso? Vai perder a sua cadeira. E talvez a sua vida...

— Não importa! – exclamou o professor, ainda tremendo –, registre as imagens! Vou expor pra imprensa, não vou cair sozinho! Mas... toda aquela *nojeira* deve deixar de existir *esta noite*! Que os ancestrais me perdoem...

— Será feito esta noite – disse Arolê, sem se alterar – . Separe o meu pagamento.

Fez uma reverência respeitosa ao mais velho, e desapareceu.

Centro de Estudos Gertrudes Oludolamu, o maior do Setor 7 e região; matérias avançadas para carreiras específicas – Engenharia Espiritual, Medicina Ancestral, Direito dos Antepassados, várias outras. *Campus* enorme, dezenas de prédios piramidais, de rocha metálica brilhante, hologramas com demonstrações de trabalho, palestras, seminários; salas de aula e laboratórios, um sem-número de quadras esportivas, lagos artificiais, praças de ondulação, casas de conhecimento.

Acocorado numa árvore, em frente ao Centro de Administração Tecnológica, Econômica e Espiritual, João Arolê aguardava. Era noite e a noite estava animada. Festas de estudantes ocorrendo em várias partes do *campus*! Todo mundo tombando, geral batendo o bumbum! Essa juventude... Finalmente apareceu quem Arolê estava esperando: um guarda qualquer do Àkọsílẹ Oju com um dispositivo esférico flutuante. Arolê apareceu atrás dele e o nocauteou em instantes; meteu a mão metálica no tal dispositivo, e os fios do braço se ondularam enquanto absorviam as informações. João Arolê escondeu o guardinha, voltou para a árvore e aguardou um pouco mais.

O dispositivo do guardinha continha as informações de que João Arolê precisava: número de guardas, posicionamento, mapa interno do prédio. A festinha no Centro de Administração parecia estar no auge, a galera louca gritando na música *Ibiyi*, novíssimo *hit* da super famosa cantora Adeleke; havia estudante voando e dançando em formação no ar, havia mesas e cadeiras flutuando, luzes de explosão, gritos fantasmagóricos e guardas ficando malucos sem saber como lidar com aquela garotada *ẹmí ẹjẹ* rica na qual não se podia encostar a mão sem atrair a ira de seus pais *ẹmí ẹjẹ* ricos. João Arolê aproveitou e se teleportou.

*"Você também quer dançar! Você quer dançar nu na mata, de mãos dadas com as almas que você exterminou! Venha, venha para a dança dos mortos..."*

João Arolê reapareceu nos fundos do prédio; ajustou o botão auditivo e começou a se mover com extrema rapidez.

Surgiram dois guardas diante de uma porta, acertou cada um no estômago antes que piscassem; desmaiaram; se teleportou para dentro, correu por entre salas e corredores, nocauteou mais guardinhas, tudo em silêncio; desceu as escadas, mais corredores, mais guardinhas, mais portas, correu, correu, desceu, desceu, parou diante de uma porta reforçada...

...e havia uma coisa grande, feita de metal, pele dilacerada, algo que um dia talvez tenha sido um ser humano, um rapaz; torso desfigurado, sustentado por pernas metálicas tortas, porém firmes; braços cibernéticos enormes; fiações no crânio raspado, eletrodos, tubos.

— Merda... – exclamou João Arolê.

A aberração avançou; disparou um braço pra frente, Arolê se esquivou; a coisa golpeou com o outro braço, Arolê se defendou com seu braço cibernético; a coisa recolheu os braços pra atacar outra vez, Arolê reapareceu atrás, puxou todos os fios da cabeça da coisa; a aberração gritou, foi ao chão; líquidos amarelentos escorrendo...

João Arolê se agachou e fechou os olhos do jovem morto. E registrou a imagem com o seu olho biônico.

Se levantou. Encostou a mão metálica na porta, os fios do braço se remexeram; tirou a mão, quase caiu de joelhos; arfou, praguejou; tirou uma seringa do bolso, injetou-a no braço direito; fechou os olhos; balançou a cabeça, segurou a ânsia de vômito; acionou o olho biônico, olhou por detrás da porta; desapareceu.

Apareceu no interior do aposento: uma câmera cheia de computadores, equipamentos diversos. Uma mesa com cinco cérebros dentro de jarras, montão de fios ligavam esses cérebros a máquinas e dispositivos. João Arolê ficou olhando; registrou todas as imagens que pôde; estendeu a mão, sua lança apareceu na sua mão.

Sem piscar, João Arolê avançou em direção aos cérebros.

*"Matou de novo! Matou de novo! Seu verme assassino! Nunca vai deixar de ser um maldito assassino!!!"*

João Arolê estava no banheiro do seu apartamento no Setor 3. Todo encharcado em caldo de nutrientes. Pedaços de cérebro na roupa. Sentia as tatuagens ardendo. O braço metálico se retorcia, todo torto. Lágrimas desciam.

— Me perdoem – sussurrou –, pelo amor de todos os espíritos, me perdoem...

## 7. Cachorrinho Obediente na Escolinha Mágica

"Onde e como você aprendeu a matar? Você se lembra? Lembra sim..."

João Arolê acordou. Um maldito jovem. Ajeitou os crespos curtinhos com a mão. Coçou os dois olhos, que lacrimejavam. Do nada, deu um salto: o chamado do capitão!

— De pé, agora! – Era um grito telepático direto no cérebro. – De pé, de pé!

Se levantou da cama dura. Morava num cubículo; os quartos dos recrutas eram as celas de uma antiga prisão; é que as casas carcerárias perderam o sentido quando as Corporações decidiram que era mais barato reprogramar o cérebro dos presos para que não cometessem mais crimes. Que bela escola mágica, hein? Igual nos filmes...

— De pé! De pé!

— Perdão, senhor! – respondeu Arolê em pensamento.

João Arolê se vestiu rápido com um uniforme preto e justo; escovou os dentes, saiu correndo do quarto – que cachorrinho obediente, parabéns! Chegou ao grande salão; vários meninos e meninas já estavam reunidos; João Arolê tomou seu lugar entre os bichinhos, digo, seus colegas recrutas.

— Psiu!

*Arolê quase deu um pulo.*

— *Calma, cara* – sussurrou uma mocinha do seu lado.

— *Hã?* – sussurrou Arolê.

— *Meu nome é Nina Oníṣẹ! E o seu?*

— *João Arolê...*

— *João! Prazer! E aí, o que tá achando?*

— *Do quê?*

— *De tá aqui, cara! Somos todos ẹmí ẹjẹ! Todos nós aqui! Mesmo todo mundo aqui vindo de família de gente comum. Tamo aqui pra fazer parte da elite! Não é legal?!*

— *É...*

— *E agora a gente tá aqui treinando pra fazer parte das forças especiais de supressão! Não é super demais?*

— *Hum. Você sabe o que significa "suprimir"?*

— *Ah...*

— *Chega de papo!* – ordenou o capitão.

*O professor da morte, digo, o capitão, entrou na sala, juntamente de quem realmente ensinava alguma coisa, digo, sua tenente, cujo nome era Cecília Adeyoye. Os meninos e meninas todos se calaram e se viraram pra frente. João Arolê olhou pra tenente: mulher pequena em trajes pretos, óculos pretos, topete crespo curto; olhou pro capitão: alto, robusto, traje preto, braço mecânico de juntas, fios à mostra; seus dois olhos eram círculos de safira azul; Arolê ficou olhando pra aqueles olhos... saiu do transe com a voz do capitão:*

— *Muito bem, bichos! Bem-vindos ao Instituto Pá Olukọ para Jovens Superdotados! Bem-vindos ao esquadrão das forças especiais de supressão! Espero que sofram bastante... e, se me desobedecerem, morrem!*

**Odé desrespeita proibição ritual e morre.**
**Naquele dia era proibido caçar. Mas Odé foi pra mata assim mesmo. Não queria nem saber. Matou a cobra com a lança. O canto dizia para não comê-la. Odé não quis nem saber. Partiu o bicho em pedaços, jogou na panela, preparou. Comeu.**
**E morreu.**
**Era dia de preparar oferenda. Orar. Era dia de cultuar ancestral.**
**Odé não quis nem saber. Comeu a cobra. E morreu.**
"E você? De quantas vidas você já se alimentou? Por que ainda não morreu?!"

*Armado com uma lança que não passava dum pedaço de metal pontudo, João Arolê apareceu por trás do monstro de carne e aço; acertava-lhe golpes no pescoço, mas o bicho não parecia se importar; Nina, caída diante do monstro, tentava se levantar no grito.*

*A lua brilhava sobre o vale no qual estavam; eram quilômetros de rocha, terra seca e restos de criaturas mortas. O bichão que enfrentavam era três vezes maior que uma pessoa, tinha uma cabeça cônica, olhos desiguais, uma bocarra, pernas e braços compridos, terminados em garras afiadas. Nina havia alvejado o monstro na cabeça, mas ele sequer piscou; acabou derrubando-a com um tapa; estava já sobre ela para a devorar, quando o Arolê apareceu por trás para lhe acertar o pescoço.*

*— Para com isso! – gritava Nina, se levantando. — Vai acabar morrendo!*

*João Arolê se teleportava ao redor da criatura, acertava-o com a lança, fazia-o se afastar da Nina; foi então que outra criatura surgiu atrás de Arolê, deu-lhe um safanão nas costas; agora eram duas monstruosidades de carne e circuitos; Arolê caiu, sentia o corpo paralisado; foi então que Nina veio correndo, se colocou entre Arolê e os dois monstros; apontou a pistola, acertou nos três olhos de cada um; desta vez as criaturas sentiram o golpe; Nina continuou atirando, acertou nos olhos, os monstros cambalearam, se debateram, até que finalmente tombaram e se desfizeram numa pilha de circuitos, sangue e ossos.*

*Nina tirou o capacete do esquadrão e levou as mãos aos joelhos; os hologramas espirituais foram se desfazendo, o salão foi assumindo sua verdadeira aparência: um espaço retangular de aço liso. Ofegante, Arolê foi usando a lança para se colocar de pé.*

— Não pedi sua ajuda, João – disse Nina –, você podia ter morrido!

— De nada, Nina – ofegou Arolê –, e obrigado.

— Trabalho em equipe é muito importante, recruta Oníṣẹ – disse alguém que entrava no salão.

Nina e Arolê se colocaram de pé e prestaram as reverências à tenente Adeyoye; mulher pequena, óculos grandes, topete crespo, colares azuis; diversos dispositivos espalhados pelo traje. Duas pistolas, duas espadas. Ela sorria.

— Descansar!

Arolê e Nina caíram de bunda no chão; Adeyoye riu.

— Muito bem! Sobreviveram a uma sessão no Salão Perigoso! Porém! Recruta Oníṣẹ, Nina! Não abuse da finta, principalmente se seu companheiro de luta não souber o que você pretende; seus adversários podem ser mais rápidos do que imagina, cuidado! E vamos cortar esse discurso de que não precisa de ajuda, está bem?

A tenente acariciou a careca raspada da Nina, que sorriu de volta.

— Quanto a você, recruta Arolê – disse novamente a tenente – João, sim, você deve proteger seus companheiros de luta, mas, por favor, lembre-se sempre: você também é uma vida que deve ser protegida. Nada de se arriscar demais, está bem? Se bem que, dada a sua personalidade, não vai adiantar muito... então tente não morrer, está bem? Menino levado!

A tenente sorriu pro Arolê, que abaixou a cabeça e corou.

— E, mais importante, pelo amor dos espíritos! – continuou dizendo a tenente Adeyoye –, conheçam melhor um ao outro! Conversem entre si... Sim, vocês dois, companheiros de luta, devem ser os melhores amigos sim. Confiem um no outro! Está bem? Classe dispensada!

**Otokán Sósó matou o pássaro monstruoso com uma flecha só.**
**Tornou-se rei.**
"Você se lembra de como você tinha potencial? Se lembra?
Quando foi que você se perdeu...?"

Agora era a prática. O cãozinho obediente cumprindo o seu dever.

Era noite, em algum lugar. João Arolê e Nina Onișẹ, vestindo o preto das forças especiais; andavam curvados no corredor em que estavam; ajustaram os dispositivos dos óculos vermelhos para visão noturna; as paredes eram de metal macio, com algumas máscaras penduradas... que olhavam para a dupla.

— Cuidado com as máscaras! – sussurrou Nina. E levou a mão à pistola na cintura.

*Seguiram devagar, até chegar à porta... João Arolê então ouviu um grito horroroso; se moveu rápido, tirou a Nina da frente; um punho fantasmagórico acabou acertando a parede; era uma coisa de três braços, duas cabeças, uma perna; a máscara estava fincada no que parecia ser o peito da criatura, que gritou outra vez; as vozes sem som vibravam na cabeça de Arolê:*
*— Parem de me machucar! Parem! Tá doendo! Para!*
*João Arolê levou uma das mãos no ouvido; com a outra, apontou a pistola, atirou nas cabeças; não acertou nada.*
*— Alguém me ajuda!! – continuou gritando a coisa. – Alguém me ajuda!! Para de me bater!!!*
*Desta vez, Arolê largou a arma e levou as duas mãos aos ouvidos; os gritos haviam inundado seu cérebro; caiu de joelhos, começou a babar... e aí ouviu um som surdo. A máscara se partiu em dois com o tiro silencioso da Nina; João Arolê viu a coisa ir se desfazendo aos poucos, até sumir por completo.*
*— Tira a gente daqui – sussurrou Nina.*
*— Mas...*
*— A missão já era! – Nina exclamou. – Rápido!*
*João Arolê pegou no braço da Nina e os dois desapareceram.*
*Reapareceram no topo de um prédio. Era madrugada. As luzes da cidade ondulavam loucamente na*

*brisa noturna; carros voadores cortavam o céu. Nina se lembrou de ofegar, Arolê já arfava horrores. Nina disse:*

— Cê salvou a gente!

— Não – disse Arolê –, foi você quem eliminou a coisa...

— Mas foi você quem a viu. Você consegue enxergar esses bichos! Eu não consigo...

— O que... o que era aquilo?

— Cara. A tenente Adeyoye falou disso semana passada. Essas coisas aí aparecem quando alguma máquina dá pane! Absorvem muitos sentimentos ruins... Acabam transbordando, dá esse chabu todo! São... Ajoguns.

— Ancestral nos proteja e nos abençoe!

— Mas o pior de tudo é que...

— Quê?

— Quem tem super poderes? A elite ẹmí ẹjẹ, a minoria dona do mundo! Conseguem se virar. E quem não é elite? Quem é que compra as máquinas mais baratas? Que dão mais pane? 90% da população. Gente comum. Né?

— É... é.

*Ficaram ali por um tempo, calados. Os carros voavam madrugada adentro.*

*Sala de aula. Aquela professora, a tenente Cecília Adeyoye, declamando.*

*— ...portanto, não é exagero dizer que vocês devem lutar com a alma. Conseguem sentir o espírito vibrar? Conseguem? O coração batendo forte. Respiração acelerada. A vontade de viver. O desejo de vencer! Conseguem sentir o sangue fervendo? Sentem os músculos tremendo? É a alma. Vocês sabem por que são capazes de fazer coisas que a maioria das pessoas não consegue? Vocês têm ideia por qual motivo conseguem flutuar, ler mentes, teleportar? Algum dos recrutas sabe responder?*

*Pouco mais de dez crianças, jovens, todos vestidos com os uniformes pretos do esquadrão. João Arolê e Nina Onịṣẹ sentados na primeira fileira; Nina com olhos brilhando, Arolê se achando mais discreto; todos os alunos sorrindo pra tenente Adeyoye, de topete crespo e óculos enormes, voz aveludada, que se expressava suavemente, porém de forma expansiva:*

*— Porque vocês são os herdeiros dos grandes espíritos! Porque cada um de vocês é uma representação dos poderes ancestrais do Mundo Antigo. Vocês são o próprio espírito. Por isso, confiem mais em si mesmos. Aquietem-se, ouçam as vozes que vibra nas profundezas de suas almas. Ouçam o próprio poder se revelando, se agitando. A vontade de vocês é capaz de mudar o mundo, sim. Vocês são capazes de salvar o mundo, o mundo enorme que existe dentro de cada um de vocês. Vocês entendem isso?*

*A tenente Adeyoye fechou os olhos e abriu os braços; apesar de pequena, sua presença se agigantava, parecia preencher toda a sala; os alunos todos pareciam hipnotizados na admiração; e ela exclamou:*

— *Usem seus poderes! Lutem! Lutem para salvar o mundo! Lutem para tornar seus sonhos realidade! E sempre, sempre confiem mais na sua comunidade! Nos seus companheiros!* – *a tenente olhou de soslaio pro Arolê e Nina, que coraram na mesma hora; tenente Adeyoye sorriu, e finalizou:* – *classe dispensada.*

*Todo mundo se levantou e foi em direção à tenente, que sorriu ao receber os alunos; ouvia todo mundo e respondia com doçura. Arolê e Nina foram saindo da sala; olharam pra trás, viram que a tenente Adeyoye sorria pra eles, coraram ainda mais, e saíram.*

*Estavam no corredor, andando um do lado do outro. Aí a Nina disse:*

— *João. Leva a gente pro Salão Perigoso. Tem um lance que quero te mostrar...*

— *Agora?*

— *Sim. Agora...*

— *João Arolê pegou na mão dela e juntos desapareceram.*

*Reapareceram no meio do salão; estava vazio, desativado. Nina soltou a mão do Arolê, foi andando até um dos cantos da sala. Arolê ficou olhando; não entendeu bem o que aconteceu: Nina estendeu a mão pra parede, a parede se contorceu, se remexeu. Aí, um pedaço da parede tomou forma de lança. Nina a pegou e entregou pro Arolê*

— Fiz pra você...

João Arolê pegou na arma. Uma lança de um metro e meio; brilho prateado, meio fantasmagórico; toda de metal, exceto a ponta, feita de cristal azul.

— Tá sentindo? – perguntou Nina – A lança vibrar em ressonância com a tua alma?

— Sim... – conseguiu dizer Arolê, após um tempo – parece que vibra no mesmo ritmo do meu espírito... é incrível... é demais!

— Sim. Eu sou incrível! Liga de metal espiritual do mundo antigo, ponta de cristal das almas.... – Arolê arregalou os olhos, Nina balançou um pouco – N-não me pergunte! Eu ainda tô engatinhando com esses meus poderes eletrocinéticos... Eu... eu apenas fiz! Enquanto ouvia um blues e tal. Tá bom? Já os materiais... um dia, um dia eu te conto! Digamos que... eu e esta salinha aqui já estamos nos entendendo bem...

Nina ficou soltando risinhos, Arolê continuou contemplando a lança.

— Mas... – disse ele, após mais um tempo – mas por que você...?

— É porque você é um trouxa – disse ela – E precisa duma arma melhor. Uma que entenda exatamente os teus desejos... que ponha a alma em jogo junto de você. O cristal na ponta vai te ajudar a focalizar teus poderes de teleporte... Cê vai ser capaz de mandar maus espíritos pro outro mundo, se focalizar teus poderes espaciais no cristal...

*— Não sei – disse o Arolê –, não sei o que dizer...*
*— Então não diga nada – disse ela, cara a cara com ele; de repente Nina deu-lhe uma bitoquinha. E saiu da sala.*

João Arolê acordou no susto. Suando, tremendo. Braço cibernético e contorcendo. Não havia muito que pudesse ser feito...

— ...Interrompemos esse programa para comunicar o lamentável assassinato do professor, e Diretor do Centro de Literaturas Orais e Escritas, Francisco Oludolamu, 75 anos... o senhor Oludolamu foi encontrado morto, com a garganta perfurada, em sua própria residência... A polícia não tem pista do assassino... Deixa esposa, quatro filhos e catorze netos... Francisco Oludolamu, descendente da lendária professora Gertrudes Oludolamu, dedicou mais da metade de sua vida ao centro de estudos fundado por sua ancestral... As autoridades averiguam os boatos de que o falecido professor estava para denunciar uma pérfida operação envolvendo tráfico de cérebros e experimentos ilegais, que estariam ocorrendo nos subterrâneos do Centro de Administração do Centro de Estudos Gertrudes Oludolamu... a reitora Lourdes Oludolamu se recusou a se pronunciar sobre o caso...

João Arolê desligou a TV – que havia ligado sozinha, outra vez. É, não havia muito o que pudesse ser feito...

## 8. O Caçador Cibernético da Rua Treze 2

João Arolê estava em seu novo apartamento no Setor 5 – havia se mudado de novo; jogava *videogame*, um jogo ambientado no Mundo Original: o herói havia sido mordido por um leão sobrenatural, sobreviveu e ganhou força, agilidade e ferocidade proporcionais às de um leão – não parecia muito original, mas era assim que estava no gibi. Arolê passava dias naquele jogo; atravessava fases, salvava vidas, enfrentava malvados senhores da guerra, trazia paz e prosperidade pro reino; sentia-se realizado cada vez que fazia o herói passar de nível. Seguiu jogando, jogando, até adormecer...

*"Um moleque irritante, é isso que você era."*

*Acompanhado dos pais no* shopping, *o menino João Arolê olhava pra todas as vitrines. Bonecos, máscaras, acessórios dos jogos, gibis; o garotinho Arolê puxava a mãe pelo braço, insistente, excessivo. Chato.*

— *Mamãe, mamãe! Olha ali o Abiola! Olha ali, mamãe!*

— *Claro, filho – disse a mãe, sorrindo.*

— *Papai, papai! Olha ali, papai, olha ali!*

— *Sim, filhão! – respondeu o pai, tentando acompanhar o ritmo. – Estou vendo!*

— *Vamos ali, papai! – exclamou o menino. – Vamo ali, vamo!*

O garotinho Arolê, mãos dadas aos pais, se agitava, andava na frente, puxava-os, queria correr até a vitrine do outro lado do shopping; exclamou de repente:

— Ali!

— O quê, filho? – perguntou o pai.

— Ali! Ali! – apontava – Um boneco do Igbola! Igbola! O boneco anda e fala!

— Onde, filho? Não tô vendo...

— Ali, papai! – insistia o menino – O senhor não tá vendo? Ali na Ação Figuras Akindele!

O menino apontou, a mãe e o pai apertaram os olhos. A loja estava lá, sim... lá do outro lado do shopping. Depois da praça de alimentação. Depois do chafariz. Depois das escadas. Lá, lá do outro lado de tudo, onde os pais só conseguiram identificar a loja mais ou menos porque conheciam a máscara-logotipo da empresa.

— Ali, papai!, não tá vendo na vitrine? – continuava o menino. – O boneco do Igbola que anda e fala, tá falando agora! "Vou salvar todos vocês, não se preocupe!" – o pequeno Arolê imitou, com exatidão, a voz do ator que dá voz ao desenho do Igbola na TV.

O queixo do pai foi quase ao chão.

— M-meu filho – conseguiu dizer a mãe. – Você consegue enxergar o boneco pequeninho a essa distância? Consegue ouvir o que ele fala, neste shopping cheio de gente, cheio de barulho? Consegue imitar direitinho a voz dele... é isso mesmo?,

*— O pequeno Arolê fez cara de interrogação.*
*— Ué, mãe, é fácil! A senhora não consegue?*
*Marina cambaleou. José a segurou a tempo. O pequeno Arolê ficou olhando pros dois com cara de interrogação.*
*— Emí ẹjẹ... – Marina sussurrou – Zé, o que a gente vai fazer...? Vão levar nosso menino...*
*José Arolê apenas meneou com a cabeça.*
*— Mamãe! Papai! Posso ser astonauta? – perguntava o pequeno Arolê.*
— Posso ser astronauta... Hã?!

João Arolê acordou de repente. O *videogame* havia desligado sozinho, mas a TV não – ou ele havia desligado e depois a TV se ligou sozinha. Arolê espreguiçou o olho direito e ligou o olho esquerdo:

— Isso mesmo, rainhas e reis, o dia da Libertação Láurea está chegando!

— Era aquele apresentador afetado de novo, onipresente; apresentava todos os eventos e acontecimentos de grande importância das Corporações, apresentava os jogos esportivos de maior destaque, as finais de campeonato, apresentava o especial de Kwanzaa, apresentava tudo; seu nome era Formoso Adaramola.

João Arolê desligou a televisão na cara do afetado Adaramola; levantou, se espreguiçou, foi dar uma olhada na janela; ruas vazias, luzes, hologramas; Arolê bocejou...

*Beep beep.*

— João Arolê. Opa. Entendo. Estou indo agora.
*Clic.*

Arolê arregalou o olho. Vestiu-se rápido, prendeu os *dreads* num rabo de cavalo. Ficou parado por uns cinco minutos. Desapareceu.

*"Você acha que salva vidas. Você passou mais da metade da sua vida eliminando vidas..."*

João Arolê apareceu no topo dum sobrado do Setor 2. Ouvia gritos de socorro em todos os cantos, desespero... Bem na sua frente outro sobrado estava totalmente em chamas.

Pessoas gritavam por extintores, xingavam, imploravam para que salvassem as crianças, corriam para fora do sobrado, corriam em direção ao sobrado, baldes de água, uma mãe implorava para que salvassem sua filha, uma menininha chorava pelo irmãozinho que tinha ficado lá dentro, o cheiro de plástico queimado inundava o ar, pessoas olharam pra cima, apontaram, gritaram: uma garota saltou da janela para escapar do fogo...

...João Arolê apareceu e a pegou em pleno ar. Várias pessoas pararam, ficaram olhando; Arolê estendeu a mão, um manto grosso e um pote apareceram; enrolou a garota no manto; um senhor veio gritando ao encontro da menina; abraçou-a chorando, chamava-a de filha. Arolê disse:

— Senhor! Passa essa pomada na sua filha, vai aliviar a dor das queimaduras.

Aí os moradores vieram, cercaram o João Arolê. Alguns o parabenizavam, outros o questionavam;

queriam saber o que um *ẹmí ẹjẹ* como ele estava fazendo ali; gritavam que os poderosos queriam queimá-los todos; alguém chamou Arolê de babaca psíquico; João Arolê encarou os moradores; alguém cuspiu, Arolê não reagiu, começou um empurra-empurra...

...Até uma senhora exigir que todos se calassem! E foi prontamente obedecida; pequena, olhinhos estreitos e pele enrugada, veio abrindo caminho na multidão em direção ao Arolê; andava ereta, apesar dos crespos branquíssimos; e João Arolê baixou a cabeça em reverência.

— Filho – disse ela –, sou a senhora Yejide, chefe desta Aldeia. Fui eu quem telefonou para você; agora, faça o seu trabalho!

Os gritos de socorro estouraram no sobrado em chamas; as pessoas voltaram a se agitar; Arolê pediu licença à dona Yejide, pegou um balde de água das mãos de um morador, se banhou, pegou o pano grosso e desapareceu.

Reapareceu no interior do sobrado, num corredor todo em chamas. Ouviu gritos de crianças; se enrolou com o pano, arrombou uma porta; três crianças estavam encolhidas num canto. Arolê correu, envolveu-as no pano e com elas desapareceu; reapareceu lá fora; deixou as crianças com a senhora Yejide, que agradeceu muito; Arolê cumprimentou respeitosamente a anciã, pegou o pano grosso, desapareceu novamente; reapareceu no corredor acima, ouviu berros duma menina, correu em direção a ela, encontrou-a escondida num canto; desapareceu com ela dali, depois reapareceu sozinho bem na frente duma outra menina, cujas vestes e cabelos tinham acabado de pegar fogo, Arolê a enrolou rápido no pano molhado, reapareceu em frente ao sobrado.

— Pomada! – gritou o Arolê -, tragam a pomada, rápido! – Um morador que parecia ser o pai veio correndo, Arolê disse: – Senhor, passe a pomada! Leve-a pra Clínica dos Espíritos Humildes, agora! – O morador tomou a filha nos braços, agradeceu muito e se foi.

A senhora Yejide se aproximou de João Arolê, lhe agradeceu de novo.

— O serviço ainda não terminou, senhora – disse Arolê –, fale pra pararem de desperdiçar água, o prédio já era! Mas ainda há algo que precisa ser feito.

João Arolê se banhou com mais um balde, sumiu e apareceu no corredor do último andar do sobrado; apertou o botão auditivo, ficou parado por uns dois minutos; correu então até o fim do corredor; estendeu a mão, e a lança apareceu; as vozes sem som gritavam na sua cabeça desde o momento em que pisou no sobrado; e as vozes diziam:

— Queima tudo! Não quero machucar ninguém! Queima tudo! Papai, por que tá tão quente? Queima tudo!!!

João Arolê então olhou com os olhos do espírito, e viu o *ajogun*: um aglomerado grotesco de crianças, amontoadas umas nas outras, retorcidas, aglutinadas; estavam em chamas, gritavam enquanto se desfaziam em cinzas, berravam enquanto tacavam fogo em tudo com seus bracinhos e perninhas tortas. – *Queima tudo! Mata todo mundo!!!* -. Arolê correu em direção ao fantasma incendiário, mirou e arremessou a lança bem no meio da criatura; o *ajogun* gritou uma última vez, e então se desvaneceu por completo.

João Arolê estava já em seu apartamento. Deitado nu em cima da cama. Fechou os olhos...
"*Você engana você mesmo! Você não salvou nada! Nada! Você vê gargantas perfuradas todas as noites! Todas as noites! Você quem causou isso! Você não é um caçador, não é! Não ache que esses servicinhos vão compensar o que você...*"

— Cala essa boca!!! – gritou João Arolê para a escuridão, de repente.

Não viu nem ouviu mais nada. Fechou os olhos outra vez. Dormiu.

## 9. Quatro Jovens Trajados de Preto

*As luzes se acenderam. João Arolê e Nina Onísẹ estavam diante do capitão, da tenente Adeyoye e de dois outros recrutas que não conheciam até então: um era alto, magricela, com olhos meio tortos; a outra era baixa, gorda, cabeça raspada, um rosto sério, mas de indiferença forçada. Todos vestiam o uniforme preto colante das forças especiais secretas. O capitão disse:*

— Arolê e Onísẹ. Estes dois são Jorge Osongbo e Aline Adebayo. A partir de agora, vocês quatro trabalharão juntos!

— Sabe – disse a tenente –, como dupla, vocês dois, João e Nina, vêm trabalhando muito bem! Porém, a missão passada deixou nítido que vocês precisam de um telepata, e é aí que entra a Aline; só que duas pessoas para levar pode ser mais que o poder de teleporte do João é capaz de suportar no momento, e é aí que entra o Jorge, que possui poderes semelhantes.

— Então é isso! – completou o capitão. – Se conheçam, se deem bem, porque, a partir de agora, vocês são um time! Aliás, escolham um nome pro time de vocês. Estão dispensados.

*O capitão deu as costas e saiu; a tenente foi atrás, e saiu. Os quatro ficaram se olhando. Se olharam. Nada disseram por um tempo. Aí Nina estendeu a mão para Aline Adebayo:*

— Bacana! Vamos ser amigas então? Qual vai ser o nome do nosso time?

— Quando você tiver menos medo do seu trabalho, poderemos escolher um nome – respondeu Adebayo; Nina recolheu a mão.

Já Jorge Osongbo ficou olhando para João Arolê com seus olhos meio tortos; Arolê olhou de volta; Osongbo olhou um pouco mais. E então disse:

— Interessante. Você é caçador como eu. Me diz: você também tem por objetivo alcançar as estrelas?

— Hã... – disse Arolê, tentando não coçar a cabeça. – É... bom.

— Ah, não – suspirou Osongbo –, você é um daqueles. Que tristeza...

— Ah – disse Arolê. – Ok. É...

De cabeça pra baixo, pendurado pelos pés na barra presa à parede de seu quarto, João Arolê se exercitava. Flexões, flexões, barriga doía horrores, flexões, músculos tremendo, flexões, flexões. Desfazia-se em suor; e não parava – duzentos e sessenta e três, duzentos e sessenta e quatro...

*Beep beep*. Hum, duzentos e sessenta e seis, duzentos e sessenta e sete... *beep beep*, Arolê atendeu:

— João Arolê. Pronto – Arolê arregalou os olhos. – O quê? Rafael Igbo?! Ah, entendo. Calma... Certo. Casa de Cultura Laura Ayokunle. Tá marcado.

*Clic*.

Hum. Duzentos e sessenta e... hum. Arolê desapareceu; reapareceu na sua cama; arfava em suor e tremedeira; fechou os olhos; desmaiou de cansaço.

*João Arolê acordou com um cascudo da Nina.*
*— Cara! – exclamou Nina – Isso não é de ficar sonhando acordado; a gente tá em missão! Missão! Fica esperto, abre o olho!*
*Debaixo de chuva forte, ventania de água cortante, no topo dos arranha-céus piramidais, o jovem João Arolê piscava com os dois olhos bem abertos, enquanto seus companheiros se preparavam para a missão. Estavam no topo da Torre Igbo, um complexo de lojas, escritórios, e residência de um ramo da família Ibualama; um dos prédios mais altos do Setor 10. Os jovens no topo do prédio eram João Arolê, Nina Onị́ṣẹ, Aline Adebayo, e Jorge Osongbo, oficiais do esquadrão secreto da supressão das Corporações Ibualama.*
*— Por gentileza, senhorita Onị́ṣẹ – sussurrou Jorge Osongbo -, pare de tagarelar.*
*— Parem de falar usando a boca, seus imbecis – disse Aline Adebayo, usando a voz da mente. – Acabo de conectar nossos pensamentos; agora, podem tagarelar sem fazer esse barulho todo...*
*— Vamos – disse Arolê.*
*— Esperem um momento! – disse Nina, encostando a palma da mão no chão; seus olhos se reviraram,*

*ela tremeu; depois dum tempo, disse: – dispositivos de segurança desativados, tá liberado! Bora!*

*Arolê pegou no braço da Nina, Osongbo pegou no braço da Adebayo. Encharcados de chuva. Desapareceram.*

— Tá chovendo muito aí, Caçador?
— Quê?

João Arolê piscava os dois olhos, o natural e o biônico, olhando pro céu azul e limpo. Deitado numa canga colorida no gramado, mãos dadas com a Maria, Parque das Águas Verdes, Setor 8. O cheiro úmido do orvalho pungia o ar. Maria, de calça azul e camiseta verde sem manga; Arolê, camiseta e bermuda brancas.

— Perdão – engasgou Arolê –, o que você disse?
— Nada – disse Maria sorrindo.
— Ah... apenas me lembrei duma coisa.
— Tem muita coisa pra se lembrar nessa vida, não é?
— Hum. É...

Maria sorriu e o beijou.

— Ih, nada de ficar emburrado agora. Estamos num encontro, se liga!
— Verdade.

O sol fervia. A brisa beijava as árvores, as folhas farfalhavam em resposta. O parque estava bem movimentado: famílias com crespos maravilhosos, lindas crianças melalinadas, animais fofinhos, autômatos de carne e metal, passarinhos e borboletas, serpentes aladas e espíritos em forma de máquinas que imitavam bichinhos.

E ali no gramado, uma área extensa de verde cheiroso e ensolarado, em cujas árvores os casais namoravam protegidos pela sombra, Maria Àrònì acariciou a mão do João Arolê; João Arolê se virou, acariciou o rosto dela. Beijou-a. Ela sorriu. Voltaram a olhar pro céu.

— Caçador... – disse ela, se sentando –, beba isto.

Maria Àrònì mexeu na bolsa verde que trazia; pegou um pote velho de barro, lacrado com tampa de ferro e amarrado com palha.

— Hum? – João Arolê levantou uma sobrancelha. – Mas o que...?

— Menos perguntas, mais ação. Beba.

— Por acaso você quer me enfeitiçar ainda mais?

— Sim.

— Nossa...

— Beba logo.

Maria tirou o lacre do pote. Um cheiro grosso e verdejante escapou Maria o entregou para Arolê, e Arolê olhou o líquido mais de perto. Mais parecia uma pasta de folhas escuras. Maria Àrònì ficou olhando; sem alternativa, João Arolê bebeu. Bebeu. Terminou, limpou os lábios com as costas das mãos. Olhou pra Maria. Disse:

— Meu pai é Odé Ọṣọ́ọ̀sì, o Rei Caçador dos Céus. O andarilho do horizonte; aquele que caça os maus espíritos para proteger as pessoas; o grande comunicador, aquele que está presente na escrita de um livro, na pintura de um quadro, na declamação de um poema, na composição de uma música, nos passos de uma dança, em todas as formas de arte. O Rei Iluminado das Alturas, o Trono do Conhecimento, o Rei Pássaro Azul. O primeiro de todos os reis ancestrais a ser cultuado neste Mundo Novo. O dono desta cidade Ketu Três...

— Ótimo... – disse Maria Àrònì, olhando. – Que bom que você se lembrou de quem você é. Agora pare de ficar se lamentando e me beije. Afinal, isto aqui é um encontro.

— Sim... Eu beijo sim. Doutora filha do sacerdote verde...

Beijaram-se, debaixo das folhas farfalhantes.

*A mãe dos rios disse pro caçador não ir brincar na mata*
*Mas o caçador não ouviu*
*Porque é independente e só faz o que quer*
*Pra mata o caçador foi*
*Encontrou o sacerdote verde e bebeu do seu preparado*
*O caçador perdeu a memória e se deixou banhar*
*E na mata com o verde o caçador ficou pra sempre...*

*O pequeno João Arolê fingia que dormia. Escondeu-se debaixo dos cobertores coloridos do Erinlé, o herói de que mais gostava. Luzes apagadas no seu quarto, porta entreaberta. Deitado em posição fetal, mãos nos ouvidos; ainda assim, conseguia ouvir os pais sussurrando lá do canto mais distante do outro lado da sala:*

— Você não faz nada! Não tem culhão! Seu frouxo desgraçado!

— Querida. Marina. Olha. Nós vamos...

— Vão levar o nosso bebê! Você não faz nada! Me casei com um frouxo! Não é homem suficiente pra proteger o próprio filho!

— Marina! Eu tô tentando! Eu tô tentando! Gastei uma fortuna com esses escudos mentais portáteis, pra não invadirem nossa cabeça e descobrirem nosso filho...

— Eu sei! Mas você não tá fazendo o suficiente! Você é um frouxo, José Arolê, um frouxo! Vou pegar o meu filho e fugir! Vou pra bem longe desta cidade horrível!

— Para com isso! O João tá ouvindo tudo! Mesmo a gente sussurrando aqui longe do quarto dele, ele tá ouvindo tudo... Calma!

— Não me mande ficar calma! Frouxo ridículo! Miserável! Meto-lhe a mão na cara!!!

— Se quiser me espancar, que me espanque... mas, pelo João, pelo amor de todos os ancestrais, fica calma...! Eu sei de um lugar. Sabe o Ricardo?

— Ah, não. Você tá falando dos Işǫtę? Eles são um bando de vagabundos! Não vou deixar o meu filho com essa gente metida a revolucionária...

— Marina. Você prefere que nosso filho seja criado pelas Corporações pra ser um espião, um assassino, ou coisa pior?

— ...

— Vou falar com o Ricardo amanhã bem cedo. A gente tem de ir devagar agora, muito cuidado, senão vão suspeitar. A gente dá um jeito, sim. Vou proteger esta família, prometo. Ninguém vai levar nosso filho contra nossa vontade! E vamos parar de falar agora, nosso menino tá ouvindo... ou eles podem estar ouvindo também... Toma, põe o escudo, não tira nem pra dormir...

Joãozinho Arolê não conseguiu ouvir mais nada. Todas as luzes se apagaram, e tudo que o pequeno João conseguia enxergar era a escuridão.

Os quatro jovens oficiais estavam em missão. Qual seria a missão?

Os quatro apareceram no interior da Torre Igbo. Estavam num quarto enorme; estatuetas de bronze e livros nas paredes, uma televisão imensa e uma janela que dava uma vista por cima de toda a Cidade. Uma grande cama flutuava no meio quarto. Assim que chegaram, Nina Arokó imediatamente tocou na parede estatuetas de livros; seus olhos se reviraram por um instante.

— Estou mantendo desligados os olhos de vigilância das estatuetas – sussurrou mentalmente Nina – mas o sistema aqui é bem forte... sejam rápidos!

Já a Aline Adebayo levou os dois dedos indicadores à cabeça, e sussurrou:

— *Estou bloqueando intromissões no quarto; nosso alvo está dormindo na cama.*

*Jorge Osongbo foi até a porta para vigiá-la. João Arolê sacou a lança; saltou na cama, tirou o cobertor... e viu uma criança; pele muitíssimo preta. Devia ter, no máximo, uns dez anos. Arolê arregalou os olhos; ficou ali olhando, com a lança na mão.*

João Arolê bocejou; fez um esforço para não dormir em pé. Estava na galeria subterrânea da Casa de Cultura Laura Ayokunle; o salão era enorme, meio escurecido, repleto de colunas de ferro que emitiam brilhos opacos em diversos padrões, padrões aleatórios, geométricos, padrões conflitantes que se mesclavam, se misturavam numa miríade de cores e sensações; era a chamada "fotoarte", ou arte das luzes, que estava na moda, principalmente entre os fotocinéticos e apreciadores desse poder luminoso.

Encostado numa coluna, mãos nos bolsos, Arolê analisava os arredores. Não havia ninguém ali no momento. Passou-se um tempo... e Rafael Igbo veio: rapaz magricela, pele muitíssimo preta – que indicava sua altíssima linhagem; andava meio curvado, meio palerma, roupas coloridas, meio espalhafatosas, meio largas demais, dispositivos espalhados pelos panos, boné maior que a cabeça, tênis brilhantes. João Arolê o olhou de cima a baixo.

— Hã – disse Rafael Igbo – me desculpe... todo mundo diz que eu me visto mal...

Arolê suspirou; disse:

— Isso não interessa nem um pouco agora.

— S-sim, senhor. Sinto muito...

— Certo, garoto. O que deseja de mim?

Foi então que Rafael Igbo levantou a cabeça, olhou bem nos olhos do João Arolê, e, com toda a seriedade, disse:

— Senhor Arolê, quero que o senhor me mate.

João Arolê arregalou tanto o olho biônico que parecia que a lente de safira ia saltar pra fora.

## 10. Quatro Jovens Trajados de Preto 2
**(Sangue da Inocência Remix)**

— Você quer o quê, Rafael Igbo?

— Quero que o senhor me mate.

Com seu olho biônico de safira fria, João Arolê olhou bem nos olhos do Rafael Igbo; o rapaz tremeu um pouco; uma gota solitária de suor escorreu no lado esquerdo da sua testa. Mesmo assim, o rapaz sustentou o olhar.

— Garoto – disse Arolê -, isto aqui não é um parque de diversões. Vai pra casa...

— Mas, senhor! – exclamou Rafael Igbo – Não dá mais...!

— Abaixe a voz... – disse Arolê. Rafael Igbo então olhou pra os lados, percebeu que havia outras pessoas por ali; seus olhos se encheram de lágrimas.

— O que eu faço então, senhor Arolê? – disse o rapaz Igbo, choroso, deprimido.

— Vá pra casa – disse Arolê, com o máximo de suavidade possível -, descanse.

— Mas...

— Se acontecer de novo... Bom, conheço um pessoal que pode te ajudar. Mas fale comigo somente em emergência. Sua rede não é segura...

— C-certo – disse Rafael Igbo, enxugando a vista; foi então que viu, numa coluna lá longe, um guarda do

Àkọsílẹ Oju; arregalou os olhos e tentou avisar Arolê. Só que João Arolê já havia desaparecido.

*Sentados numa cama dura e quadrada de colchão frio, João Arolê e Nina Onísẹ jogavam* videogame. *Quarto da Nina. Se digladiavam num jogo de luta bem velho, "Rua do Lutador Rei", concentradíssimos em apertar os botões no tempo certo pra fazer aquela combinação de golpes. Jogavam em silêncio, faziam umas caretas... até que o Arolê disse:*

— *Nina...*

— *Agora não! Tô ocupada aqui!*

— *Quantas... É... Quantas pessoas nós já...*

— *Hã...*

— *Quantas...?*

— *Cara... – Nina pausou o jogo –, olha, eram coisas... não eram pessoas. Anomalias, aberrações, criminosos e corruptos engravatados... ameaças! Não eram pessoas, eram monstros! Somos caçadores de monstros e anomalias! É o nosso dever!!!*

— *Quantas pessoas nós...*

— *A gente é das forças especiais secretas. Milícia de supressão! É nosso dever! A polícia não alcança a elite ẹmí ẹjẹ que é criminosa e corrupta! Monstros, aberrações que ameaçam a população! Alguém tem de fazer o serviço! A gente tem que fazer isso!!!*

— *Nina. Pelo amor de todos os ancestrais. Quantos seres humanos nós matamos?*

*Silêncio. Nina ficou olhando pra cara do Arolê. Aí ela disse:*

— Mais de cem seres humanos – respondeu. *Silêncio... se levantou; foi saindo – Vou dar uma volta pela base. Fica jogando aí...*

*Arolê fingiu não perceber os olhos da Nina se enchendo de lágrimas; voltou ao jogo, só que com uma expressão meio petrificada no rosto.*

— Não faz essa cara de estátua, Caçador.

— Quê?

Sentados no alto duma torre no Setor 7, em meio às ventanias no Centro da Cidade, Maria Àrònì e João Arolê olhavam pros espíritos holográficos que dançavam no céu estrelado, luzes que se esparramavam por toda a Rua Treze. Carros corriam velozes, lá no ato e nas ruas muito lá embaixo, e lá embaixo muitas pessoas andavam, corriam, perambulavam. Arolê olhava pro horizonte, mãos dadas com a Maria.

— Tá de parabéns – disse Maria. – Gostei muito daqui.

— Nada demais.

— Nada de ficar emburrado hoje, senão vai beber outro preparado meu.

— Tá tudo bem, Doutora! – disse Arolê, se sobressaltando. – Tô até sorrindo!

Maria pegou no pescoço dele.

— Cê é doido, menino. Se fica macambúzio sempre que a gente sair, vou te largar.

— Aff, só porque você se acha a piadista descolada, né? Se liga!

Ele se virou. Tocou no rosto dela. Ela olhava pra ele. Beijaram-se.

— Beija bem, parabéns – disse Maria.

— Ora...

— O que você quer pra sua vida? – perguntou Maria de repente.

— Como assim?

— Qual seu objetivo de vida, ora. Não tem nenhum? Por acaso você respira só por respirar? Se for, que coisa sem graça, hein?

— Eu... eu...

— Ih, você é daqueles. Que trabalho. Bom, você vai achar o seu caminho de alguma forma. Atira a flecha, Caçador, se liga! Olha só. Primeiro, um dos teus caminhos te leva pra pessoa aqui que você acaba de beijar, a pessoa que te enfeitiçou.

— Então você admite! – João Arolê apontou triunfante.

— Fica quieto – ameaçou um tapão nele. – Então, voltando. Se liga. O meu caminho. O meu caminho é o de curar as feridas do mundo.

— Hã?

— É isso o que ouviu. Eu estou aqui para curar as enfermidades da terra. A minha maior felicidade é restaurar vida de um outro alguém. Sabe?

Arolê ficou olhando pra ela sem saber o que dizer.

— Sabe... – ela continuou dizendo, balançando as pernas no parapeito –, é tão bom respirar. Andar pela cidade, em meio ao verde dos parques, às vidraças das torres, respirar o ar que está em todo lugar, se espalhando por toda parte. Respirar este ar que são os próprios espíritos, sentir dentro de si essa força que nos define, nos alimenta, que nos permite viver pra sorrir, sofrer, conquistar, perder. Amar. Está tudo vivo, sabe? A selva verde natural, a selva artificial de metal. Está tudo vivo. Porque está tudo pela energia ancestral dos nossos antepassados. Sim. é muito bom respirar. Se sentir viva. Por isso que eu aceitei como missão curar todas as feridas do mundo.

João Arolê ficou olhando para Maria Àrònì enquanto ela falava; foi então que percebeu uma pomba morta perto deles. Estava espetada com dardos de metal, daqueles dispositivos de disparo que alguns moleques adoram comprar só pra usar contra pequenos animais. Maria também olhou pro bichinho; Arolê disse:

— Mas... e quando a sua existência trouxe tanto sofrimento pra outras vidas?

— Neste caso... – disse Maria, pegando a pomba morta e a colocando no chão – eu sugeriria a essa pessoa que viva pelas vidas que tomou, que continue fazendo a diferença para as vidas que estão prestes a se extinguir.

— Ah – Arolê engasgou –, eu não...

— Não é pra se explicar, Caçador – disse Maria, enquanto cobria a pomba com folhas verdes que havia tirado da bolsa – É como eu disse: respirar e estar viva é muito bom. Ainda mais depois de um beijo verde... – em seguida, despejou em cima das folhas todo o conteúdo pastoso de um tubo de ensaio...

...e João Arolê quase deu um pulo quando percebeu a pomba viva, sem ferimento algum, farfalhando entre as folhas; o bicho se balançou, ainda todo úmido, e alçou voo, como se nada houvesse acontecido. Maria apenas sorriu.

Maria! – exclamou Arolê com o olho arregalado –, quem... o que é você?!

— Alguém que adora estar viva – Maria sorriu. – Alguém que gosta de você...

— Maria Àrònì meteu a mão no peito do João Arolê, puxou-o com força pela camiseta, trouxe-o para o chão, dominou-o em seus braços; no topo duma torre no Setor 7 da Rua Treze, em meio às ventanias da noite em Ketu Três, entre afagos e carícias, abraços e beijos vigorosos, pela primeira vez em muito tempo João Arolê agradeceu, e muito, por estar vivo e respirando.

*O pequeno João Arolê estava sentado com a mãe no sofá da sala. Marina o abraçava. Assistiam à televisão:*

— *...acaba de ser preso o operador de máquinas José Arolê, 48 anos, acusado de roubo, fraude de documentos, sabotagem de equipamentos e participação no grupo criminoso revolucionário que se intitula Işọtẹ; José Arolê foi condenado à reeducação total; trabalhará por toda a vida para...*

*A televisão foi desligada. Marina chorava, soluçava em profusão; o pequeno João nunca antes havia sentido um abraço tão apertado de sua mãe. Ela então colocou seu rosto bem na frente do pequeno, olhou nos olhos dele; disse:*

— Meu filho. Seja um homem que defende sua família. Aconteça o que acontecer. Mesmo que todos o chamem de criminoso. Seja o homem que fará o que deve ser feito! E, um dia, perdoe a sua mãe...

— *Quero ser astonauta, mamãe* – disse o pequeno – *aí, vou poder salvar o papai.*

— *Faça, Arolê* – disse Jorge Osongbo.

*Com a lança na mão, João Arolê olhava pra criança que era seu alvo. Uma criança de pele muitíssimo preta. Arolê olhava pro menino, e não se mexia. Já Nina, ainda com a mão encostada na parede, suava e tremia; então balbuciou:*

— M-mas o quê..., gente..., mas...

— *Pessoal!* – disse Aline Adebayo –, *não vou conseguir nos manter invisíveis por muito mais tempo...*

— *Faça, Arolê!* – exigiu Osongbo.

— *E Arolê não se mexia. Em pé em cima da cama, olhava pra criança que dormia.... até o garoto abrir os olhos.*

*Foi então que Jorge Osongbo apareceu em cima do Arolê e lhe deu um soco na cara; Arolê foi parar no chão do quarto, Nina gritou sem voz; Adebayo tentava se concentrar parada onde estava; Jorge Osongbo enfiou sua lança no olho esquerdo da criança, o sangue jorrou farto; João Arolê ficou ali olhando a criança com uma lança trespassada no crânio.*

*— Eu não sabia... – disse Nina Oníṣẹ – Eduardo Igbo, 9 anos, suprimido... com sucesso. Eu não sabia... só 9 anos... O que nós fizem...*

*— Irmão?*

*Arolê e Nina se viraram pra porta: um garotinho, também de pele muitíssimo preta, mais novo que o recém-falecido Eduardo Igbo. Segurava um bichinho de pelúcia. O menino olhava pro irmão, espetado na lança... de súbito, deu um solavanco pra trás, e seus olhos ficaram sem pupilas; se virou pros quatro jovens de preto, começou a entoar algo, embora não saísse nenhum som dos seus lábios.*

*— Rafael Igbo, irmão mais novo do nosso alvo! – exclamou Adebayo. – Não estou conseguindo entrar na cabeça dele!*

*Jorge Osongbo olhou pro Rafael Igbo; arrancou a lança da cabeça do Eduardo Igbo, com o globo ocular do menino gotejando na ponta da arma; avançou em direção ao pequeno, quase atropelou a Adebayo no meio do caminho; Nina se desencostou da parede, se jogou na frente do Osongbo, que acabou deixando a lança cair; ficaram se socando no chão, perante o menino Rafael, que ainda se convulsionava na porta; Adebayo, que havia caído de joelhos, olhava pra tudo e não se mexia; Arolê, do outro lado da cama, pôs-se de pé; olhou pro Eduardo Igbo com o rosto desfigurado, olhou pra Adebayo se desfazendo em suor, olhou Nina e Osongbo se engalfinhando, olhou pro garotinho Rafael Igbo... olhou pra si mesmo, pequeno Arolê, manifestando poderes pela primeira vez, todo empolgado com os pais; pegou então do bolso uma pílula azul, engoliu; Nina acabou com a cara ao chão depois de tomar um soco no estômago; Osongbo, voltou-se pro seu alvo Rafael Igbo, pegou sua lança ainda com um globo ocular espetado na ponta, avançou pra matar; foi então que Arolê apareceu entre Osongbo e Rafael Igbo, com Nina e Adebayo nos braços, deu um chute no peito do Osongbo e, no momento em que seu pé encostou no Jorge, desapareceu com todos dali.*

    João Arolê veio subindo as escadas, passou o cartão na porta, entrou no seu minúsculo apartamento no Setor 5. Tirou as vestes, jogou-as no ar; foram aparecer direto no armário. Foi no banheiro, lavou o rosto. Olhou no espelho. Viu olheiras, até mesmo na metade direita e metálica de sua face. Ficou um tempo olhando pra si próprio, nu em carne e metal. Voltou pro quarto, ligou a TV; era ele de novo, Formoso Adaramola:

    — E agora, as últimas! A diva Dandara Akinbiyi fez o maior barraco na festa de ontem e deu uma surra no seu ex-namorado Hammond Igbo, na frente de todos os convidados! Na festa, estava presente Júlio Faramade, um ilustre desconhecido que recentemente ficou famoso ao ser selecionado para o programa Astronauta Azul...

João Arolê piscou, a TV foi desligada. Andou em círculos; passava a mão no rosto, na cabeça, coçava os cabelos; balbuciou sabe-se lá o quê, nem ele entendeu o que tinha falado. Se jogou na cama. Levantou. Se jogou de novo. Se teleportou pro terraço. Voltou pro quarto. Se teleportou lá pro alto. Se teleportou mais alto. Mais alto. Se teleportou mais uma vez em direção à escuridão lá do espaço. Quase foi atropelado por uma nave. Olhou as estrelas. Olhou mais uma vez. Ficou sem ar. Caiu. Foi caindo. Foi se debatendo enquanto caía. Olhou pras estrelas de novo. Foi caindo. Desapareceu. Reapareceu na sua cama. Arfou. Arfou um pouco mais. Vomitou no chão do próprio quarto. Rolou da cama. Caiu de cara no chão cheio de vômito. Tentou se levantar. Não conseguiu. Tentou mais uma vez. Desistiu. Vomitou um pouco mais, estirado onde estava. Estrebuchou. Finalmente parou de se mexer, e passou a noite ali mesmo, lambendo o próprio vômito.

## 11. O Caçador Cibernético da Rua Treze 3
### (A Marcha dos Cérebros Violentados)

— *Vamos, garoto.*

*A mulher de terno branco pegou no braço do pequeno João Arolê e o conduziu para fora de sua própria casa. Marina, sua mãe, estava em pé na porta, enquanto outras pessoas de terno reviravam seu lar; quando terminaram, se olharam sem dizer nada, pelo menos não com a boca. Marina observava tudo com olheiras de ressaca fria. Uma a uma, aquelas pessoas de branco e óculos espelhados foram saindo, deixando tudo bagunçado; passaram pela Marina sem nem olhar; mas uma das mulheres parou e disse:*

— *Senhora Marina Arolê. Estamos levando seu filho, João Arolê, 8 anos, para estudar, em tempo integral, no Instituto Pá Olukọ para Jovens Superdotados, conforme manda a tradição constitucional das Corporações Ibualama. Devido à natureza extraordinária dos estudos a serem aplicados, e também às transgressões cometidas por seu marido, José Arolê, a senhora não terá permissão para visitar seu filho. Mas terá direito a uma ligação por mês. O emprego e a casa da senhora serão mantidos. Alguma dúvida?*

*Marina Arolê respondeu com um olhar. Continuou olhando nos olhos biônicos da mulher de terno branco, que acabou recuando um passo e levou a mão à pistola. Um dos homens de terno se virou pra Marina e disse:*

*— Em respeito aos sentimentos da senhora, não a prenderemos por seus pensamentos, repletos de hostilidade, que configuram desacato à autoridade. No entanto, só deixaremos passar desta vez. A senhora tem permissão agora para se despedir de seu filho.*

*Marina foi passando por aqueles estranhos; chegou até o filho, se agachou, olhou bem nos olhos; disse:*

*— João. Meu filho. Seja o homem que eu e seu pai criamos para que fosse. Seja forte.*

— Seja forte, Caçador João.

— O quê?

João Arolê começou a piscar sem parar.

— Sonhando acordado de novo – Maria suspirou. – Você não tem "simancol" não?

— Sinto muito – disse Arolê.

— Bom – disse Maria sorrindo –, eu tenho aqui uma poção que deve servir para...

— Opa! Acordei! Melhorei! Ufa!... – Arolê se apressou em dizer.

Sorveteria Espíritos Gelados, no Setor 6, tarde de sábado. Tomavam juntos uma taça gigante: sorvetes de amora, framboesa, iogurte e papaia, cobertura cremosa de chocolate, pedaços crocantes de castanha. Os dois davam umas colheradas gulosas sem o menor pudor.

— Você é impressionante – disse Maria –, eu me dando ao trabalho de gastar meu pouco tempo livre com você, e você me dá dessas. Tenho mais o que fazer, sabia? Te garanto que os meus projetos não vão se concluir sozinhos...

— E que projetos seriam esses? – perguntou Arolê, brincando com a colher.

— Não te interessa – respondeu Maria, direta e simples.

— Tem a ver com a cura do mundo e do universo? – insistiu Arolê, abusado.

— O que você acha? – disse Maria, impaciente com o João e com o sorvete que já estava quase acabando. – Não fica pagando de curiosinho não, viu? Mas, se quiser realmente saber meus lances, saiba que eu vou ter que te dissecar... só pra começar.

*Beep beep.* João Arolê nunca se sentiu tão aliviado por uma chamada. *Beep beep.*

— Opa – disse ele, atendendo a ligação – Alô? Sim, é João Arolê. Ah, hum... o quê?! Ah... Estou indo. Sim, estou indo *agora*! – *clic*.

— Ih... – disse Maria.

— Sinto muito! Estou ind...

— Entendi – Maria interrompeu – Vamos lá agorinha mesmo. Nós dois.

— O quê?

Maria Àrònì segurou forte na mão metálica de João Arolê.

— Já saquei tudo – disse ela, olhando nos olhos dele –, sem mim você não sai daqui. Tenho trabalho a fazer, por isso não enrola e bora logo!

João Arolê apertou a mão dela e juntos desapareceram.

*Acho que estamos com problemas de comunicação aqui... – disse Jorge Osongbo para seus colegas. – A missão era bem simples: eliminar a anomalia. Nada mais, nada menos. Duas anomalias, na verdade, já que o irmão provavelmente também se tornará uma ameaça. Vocês entendem, não? Nossa tarefa é eliminar ameaças, certo?*

— *Uma criança é uma ameaça?! – Nina esbravejou.*

— *É... – disse Osongbo – realmente estamos com problemas de comunicação...*

*Os quatro jovens oficiais encaravam-se uns aos outros num corredor da base. João Arolê olhava nos olhos do Osongbo sem dizer nada; Aline Adebayo olhava pra todos, também sem falar nada; Nina não se aguentou; explodiu:*

— *Olha aqui! Seu babaca!*

— *Senhorita Oníṣẹ – disse Osongbo para Nina –, de novo, se exaltando por nada... Não leu o relatório? Aquela coisa era capaz de...*

— *Por nada? – interrompeu a Nina. – Coisa?! Era uma criança!*

— *Não me faça repetir – disse Osongbo –, era nosso alvo. A mera existência daquela coisa era um crime...*

— *Uma criança! – Nina insistiu.*

— Ora... – Osongbo sorriu – A senhorita é mesmo um risco pras missões. Só emoção, nenhuma inteligência...

— O quê?! – Nina cerrou os punhos – Seu...!

— Qual é a sua, Osongbo? – disse Arolê, se colocando na frente da Nina.

— Sério, senhor Arolê? – disse Osongbo. – Achei que fosse parecido comigo. Você não veio aqui para caçar?

— Mas o quê...? – Arolê perguntou.

— É uma pena – Osongbo suspirou –, porque, se fosse como eu, não ficaria nem um pouco chateado se recebesse de presente a cabeça daquele criminoso revolucionário do teu pai... com um furo no olho esquerdo, é claro.

Arolê levou a mão à lança; Nina já estava com a mão na pistola; Osongbo sorriu... e nada fizeram além disso; ficaram ali parados; tentavam se mexer. Mas não conseguiam. Aí olharam pra Adebayo, que estava com os dois indicadores na testa.

— Senhorita Adebayo – disse Osongbo –, poderia, por gentileza, nos soltar...?

— Claro – disse Adebayo –, pra vocês se matarem por nada.

— Nada?! – Nina exclamou – Ele acaba de matar uma criança!

— Crianças são vocês – disse Adebayo. – Os dois caçadores aí, ficam de showzinho só pra mostrar que *são machos... e você, Nina, para de ficar se esgoelando feito uma ridícula. Vocês todos são responsáveis pelo que aconteceu...*

— *Você também! – disse Nina. – Você tava lá perdida, sem saber o que fazer!*

— *Sei disso – disse Adebayo –, por isso que não tô envergonhando a mim mesma, igual vocês estão fazendo.*

— *Mas... – Nina tentou falar qualquer coisa, mas desistiu.*

— *Time Lamúria – disse Adebayo –, é esse o nosso nome a partir de agora. Estou relatando oficialmente à tenente Adeyoye neste exato instante.*

— *O quê?! – exclamaram Arolê e Nina ao mesmo tempo; Osongbo apenas riu.*

— *Ah, sim – disse Adebayo virando-se pro Osongbo. – Se você bater na Nina outra vez, ou melhor, se você bater de novo em qualquer outra de nós, ou fizer menção a isso, eu entro na sua cabeça, desse jeitinho que você gosta, e faço você se afogar no vômito do seu próprio sangue. Fui clara?*

— *Clara como a luz do dia, senhorita – respondeu Osongbo.*

— *Ótimo.*

*Aline Adebayo deu as costas pros três, que perceberam que podiam se mexer novamente; enquanto ela se ia, Arolê, Osongbo e Nina ficaram se encarando por mais um tempo, até que cada um tomou seu rumo sem falar nada.*

Sem falar nada, João Arolê e Maria Àrònì corriam. Corriam e saltavam, dum prédio a outro, desapareciam juntos no ar, reapareciam metros à frente, desapareciam, reapareciam, escondidos pela escuridão duma noite sem lua, sem estrelas; as tatuagens dele ardiam, os fios do braço metálico se remexiam, ela apertava a mão dele, os anúncios nos telões coloridos tagarelavam sem parar, Arolê e Maria corriam e corriam, apressavam o passo pra chegar logo ao seu destino.

— *Chegamos, time Lamúria!* – disse Nina, via *pensamento.* – *Vamos aê, time!*

— *Nunca mais faço piadas...* – lamentou Adebayo.

— *Que maravilha de nome, hein, Adebayo?* – escarneceu Jorge Osongbo.

— *Como é que eu ia saber que a idiota ia levar a sério?* – Adebayo questionou.

— *A tenente Adeyoye adorou o nome!* – Nina comemorou. – *Vamo aê, time Lamúria!!*

*Haviam acabado de chegar a uma sala metálica. Uma tela de cristal ocupava uma parede inteira; estatuetas esculpidas em bronze dominavam outras paredes. Arolê e Osongbo foram cada um pra cada lado da porta; Adebayo no centro, indicadores na cabeça; Nina chegou na grande tela de cristal e a tocou.*

— Aline! – disse Nina pra Adebayo. – Depois dessa missão...

— "...o que acha de a gente sair e tomar um sorvete?" – completou Adebayo. – Você não faz o meu tipo, querida. Se concentre na missão.

Nina parou de sorrir, olhos pra tela; e revirou os olhos.

— Pronto! – anunciou Nina, depois de um tempo –, consegui os dados que viemos buscar! Agora, só falta irmos atrás do nosso alvo!

Arolê e Osongbo correram pro centro, pra pegar Adebayo e Nina... só que pararam de repente; foram ao chão, paralisados; Adebayo levou as mãos à cabeça; acabou indo ao chão também.

— Que merda é essa? Ratinhos malditos!

A porta se abriu; entrou um homem gordo, vestindo roupão; levou o indicador à cabeça, Adebayo começou a gritar de dor; Arolê e Osongbo continuavam paralisados, tentavam se mexer, desconseguiam; Adebayo continuou gritando; o homem de roupão começou a gargalhar...

Tchunc*!*

O furo na testa do homem se encheu de sangue; ele caiu de cara no chão. A parte de trás do crânio havia explodido. Arolê e Osongbo voltaram a respirar, Adebayo abriu os olhos, massageou a cabeça. E aí ela se virou, e viu Nina com a pistola na mão.

— *Nosso alvo, Germano Kòifé, 56 anos, empresário, envolvido em lavagem de dinheiro corporativo, financiador de experimentos ilegais de genética espiritual, suprimido com sucesso. Agora, meu querido time Lamúria, é hora de ir embora...*
— Adebayo arregalou os olhos; Arolê ficou piscando sem transição; Osongbo sorriu abertamente – com a boca e com os olhos.

João Arolê e Maria Àrònì chegaram ao Setor 3, no endereço indicado: Rua Treze. Estavam no alto dum prédio baixo e velho; apesar da corrida e dos teleportes sucessivos, ele não estava suado; já ela ofegava um pouco. Ouviam-se gritos de todos os lados; saltaram pro chão.

— Vá fazer o seu trabalho! – Maria exclamou, ainda buscando ar –, e me deixe aqui para fazer o meu. Vai!

João Arolê respondeu com um olhar e correu.

Muitas pessoas corriam sem ordem nem direção; expressões de pavor, berros de socorro, homens, mulheres, crianças, balbúrdia dos diabos. João Arolê se jogou no meio da multidão; uma mulher veio na sua direção; Arolê se teleportou, apareceu nas costas de quem a mulher fugia: um garotinho de cabeça raspada, olhos revirando, babando; João Arolê segurou os braços do menino, que se debatia raivoso; Arolê olhou para trás... as pessoas estavam todas fugindo de indivíduos na mesma condição do garotinho: cabeça raspada, olhos revirados, lábios tremendo; estes perseguiam as demais pessoas, pegavam e tentavam quebrar braços, pernas e costelas com os próprios dentes; lambiam-se com saliva e sangue.

João Arolê acertou o fígado do menino, fê-lo desmaiar; então correu, foi salvar primeiro as crianças; ia e voltava, sem parar pra respirar; se teleportava, deixava as pessoas dois quarteirões adiante, voltava; era gente demais; foi pro embate contra os enlouquecidos de cabeça raspada; gritos, ossos se rompendo, pessoas aos montes, Arolê suava, ofegava; invocou sua lança, usou a parte sem ponta para nocauteá-los; esticou o braço metálico, impediu uma menina de ser devorada por duas crianças raivosas; de repente, sentiu o alerta do seu senso de perigo na cabeça; várias pessoas foram ao chão, mãos nos ouvidos, gritavam; Arolê ajustou rápido o botão auditivo, se levantou; viu carros velhos se erguendo no ar como que puxados por fios invisíveis; mais caras enlouquecidos de cabeça raspada saíam dos prédios; João Arolê arfou, correu; teleportou-se em cima de uma mulher inconsciente que ia ser trucidada por três; ao seu lado, viu um rapaz indefeso contra dois; com a mulher nos braços, tentou ajudar o garoto, não ia dar tempo...

...aí os dois agressores do rapaz foram agarrados por galhos gigantes das árvores na calçada.

— Francamente! - Maria gritou – Não consegue nem fazer a sua parte direito! Até quando eu vou ter que salvar o teu rabo?

Em pé no meio da confusão, com roupas alviverdes rasgadas, sua sacola de tecido no ombro, gesticulando um

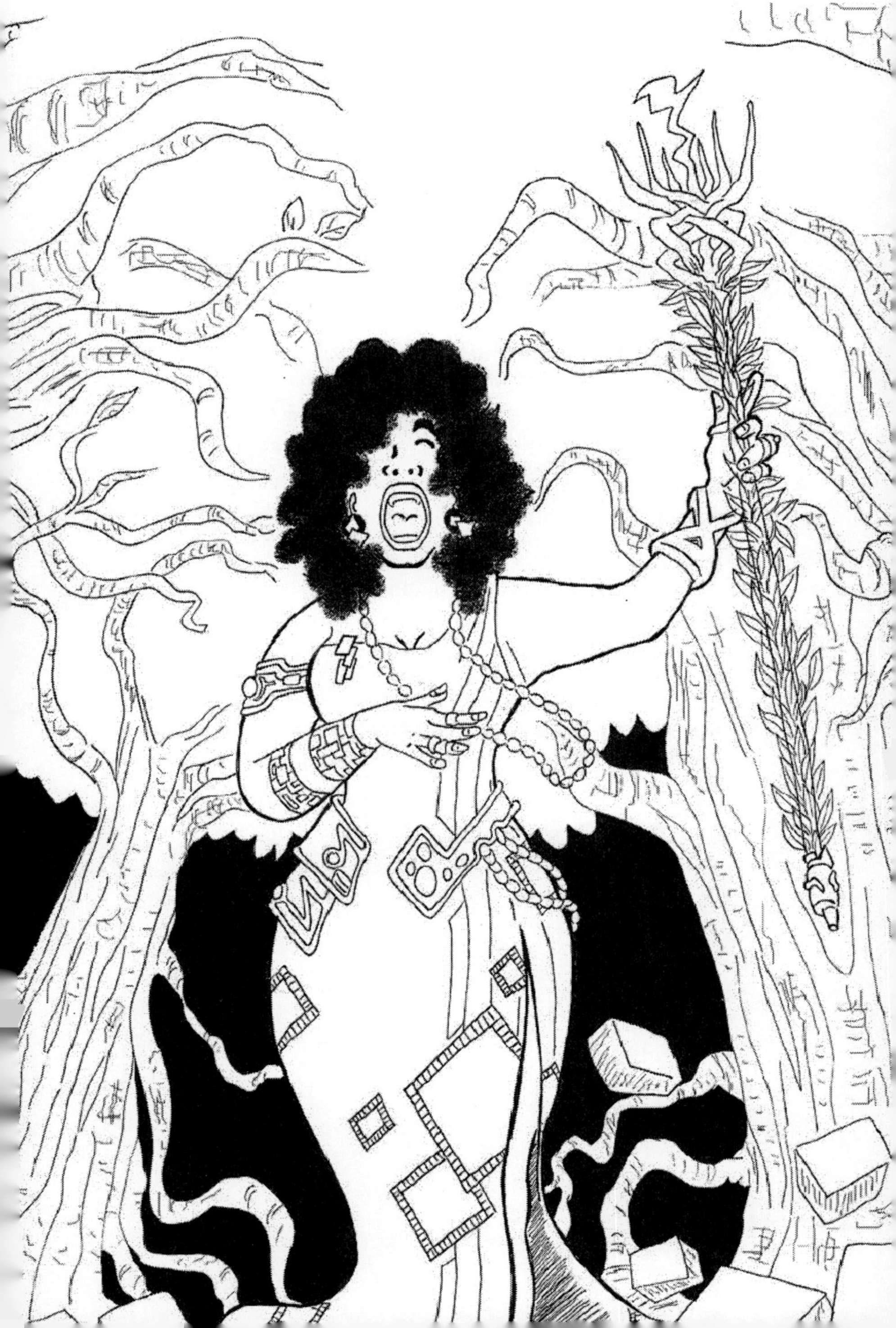

bastão de madeira nobre, e suando muito, Maria Àrònì ergueu a voz e gritou cantigas de poder.

E as árvores obedeceram.

As muitas árvores da calçada da Rua Treze foram se avolumando, foram crescendo ainda mais, enquanto os arbustos das paredes dos prédios se estendiam e se esparramavam para enredar e amarrar vários e vários caras enlouquecidos de cabeça raspada; flores gigantes foram brotando das plantas, começaram a exalar névoas esverdeadas; os enlouquecidos envoltos pela névoa pareciam ficar meio grogues, foram se acalmando, foram desmaiando. E a Maria Àrònì, ao que parece, ia se esgotando em suor com o esforço.

João Arolê então deu um gás final; saltou várias vezes, fez um monte de teleportes ao mesmo tempo; foi acelerando, como que aparecendo em vários lugares ao mesmo tempo, foi nocauteando com sua lança os últimos enlouquecidos, mas sem perfurar ninguém; foi tirando as pessoas da linha de perigo, sem parar, sem respirar; foi acelerando, e acelerando, se teleportando, golpeando, várias vezes ao mesmo tempo, vários deles, sem parar nem respirar; e os enlouquecidos iam finalmente sendo subjugados todos. E a situação foi se normalizando, finalmente.

Suando em bicas, João Arolê erguia-se triunfante em pé na Rua Treze.

Equipes médicas foram chegando, e os curandeiros se puseram a trabalhar; banhos, ervas e poderes sobrenaturais foram se agitando para ajudar os feridos, macas flutuantes iam aparecendo aqui e ali pra carregar os em estado mais grave. Maria estava esgotada de bunda no chão, tomando ar. João Arolê apareceu bem na frente dela, e disse:

— Maria...

— Sou Maria Àrònì, a Ọlóòsanyìn – disse ela, ofegante. – Meu trabalho é curar as feridas do mundo; inclusive as chagas causadas por experimentos ilegais realizados por farmacêuticas! Por enquanto é só isso que precisa saber.

— Eu sei – disse Arolê, oferecendo a mão para ajudá-la –, eu só queria te agradecer. Obrigado.

— Humpf... – ela pegou na mão dele e se levantou.

Os dois olharam nos olhos um do outro. Sorriram.

E aí quase caíram, porque o chão deu uma tremida forte.

João Arolê, Maria Àrònì, as equipes médicas, as pessoas feridas, ficaram todos se entreolhando; aí sentiram a tremida de novo. Arolê começou a suar frio; parecia um tremor distante, lá mais adiante na Rua Treze. Intenso. Raivoso. O pessoal foi acessando os celulares pra ver o que estava acontecendo... E aí começou uma falação, uma gritaria:

— O Setor 10! Tão destruindo o Setor 10! É um monstro! Tá quebrando tudo! Um monstro destruindo o Setor 10! Olha direito! É uma garotinha! É um monstro! O Setor 10! Tá destruindo tudo!!!

O tremor continuava. João Arolê sentiu o coração bater bem forte; foi então que a Maria lhe deu um tapão, e João despertou; ela depois pegou na mão dele, e entregou um grande pote de barro. E o beijou nos lábios.

— Bebe essa poção agora! Vai recuperar suas forças! Bebe e *vai*! – Os olhos dela se encheram de lágrimas. – Vai, antes que Ketu Três seja partida ao meio...

## 12. O Urro da Garota Furiosa 2
### (Menina de Destruição em Massa Remix)

Quando João Arolê contemplou a destruição causada por Jamila Olabamiji em apenas dez minutos, ele percebeu que era a segunda vez que sentia tanto pavor de uma garotinha de quinze anos.

A cada pisada da Jamila, todo o Setor 10 da Rua Treze tremia. Milhares de pessoas corriam apavoradas pelas ruas, ou se jogavam chorando no chão, quando ouviam a menina urrar. Naquela madrugada de lua cheia, em meio a pilhas de destroços, de carros e edifícios derrubados, pisando em escombros de pedra, madeira e metal, Jamila Olabamiji chacoalhava as tranças e urrava; estilhaços de vidro subiam aos céus, rodopiando como se fossem redemoinhos de poeira brilhante.

João Arolê estava no alto dum prédio; coração palpitava, respiração acelerada; olhava pra Jamila lá embaixo; regulava o botão auditivo, tentava avaliar a situação; entre os que corriam em desespero, havia crianças, que tropeçavam, caíam, choravam; Arolê se teleportou pro meio da confusão, realizou diversos saltos consecutivos, sem parar pra respirar, tentando evitar que as pessoas se pisoteassem umas nas outras durante sua fuga irracional.

Praticamente metade dos edifícios do Setor 10 havia se transformado numa pilha de escombros e destroços. Em apenas dez minutos.

E, no epicentro do caos, estava, Jamila Olabamiji, quinze anos, tão pequena e magra que parecia ter doze ou menos; olhos revirados, salivando de raiva, repleta de som e fúria. Cada vez que a menina socava o chão, ondas de choque destruíam quilômetros de ruas, calçadas e árvores; cada vez que berrava, mais e mais pessoas corriam desesperadas pra bem longe, ou caíam de joelhos e choravam, e mais e mais vidraças eram estilhaçadas. Jamila estava cercada por guardas da Aláfia Olușo, fortemente armados, mas que pareciam não saber o que fazer pra deter uma garotinha que vestia pijama estampado, pantufas fofinhas e um chapeuzinho com orelhinhas.

Os guardas então encaixaram bazucas nos ombros; dispararam bombas telecinéticas de grande impacto, e toda área ao redor da Jamila explodiu em crateras enormes; ela gritou de dor; desesperado, João Arolê gritou pra que parassem; se teleportou pro meio deles, começou a socá-los; porém, mais e mais guardas armados chegavam, mais bombas eram disparadas contra a garota, as pantufas fofinhas e o chapeuzinho de orelhinhas foram desintegrados; no entanto, a Jamila em si estava inteirinha, sem ferimentos, como se todas aquelas bombas fossem no máximo um aborrecimento desses qualquer.

A garota chacoalhou então as tranças, e correu pro confronto; com um único golpe de ombro, mandou pra longe vários oficiais; voadores armados com rifles se aproximavam para atirar redes neurais de captura; Jamila os pegava pelos pés, arremessava-os pro alto; João Arolê

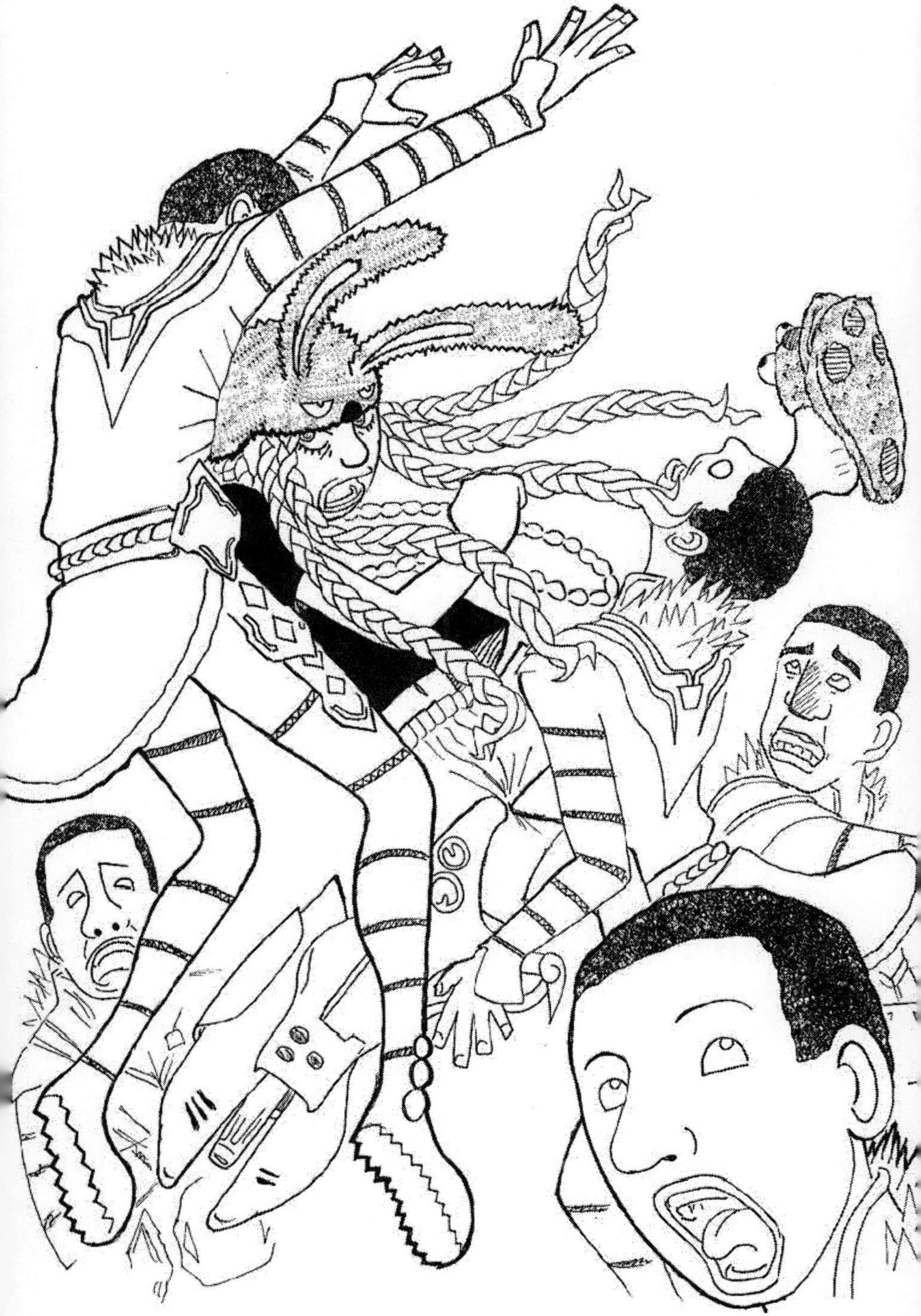

distribuía socos e pontapés para evitar que continuassem alvejando a pequena com artilharia pesada, a pequena Jamila abria os braços e urrava, o urro estilhaçava os capacetes de proteção dos guardas, o próprio Arolê desta vez foi ao chão com as mãos nos ouvidos, se segurava pra não chorar.

A cidade inteira parecia que ia desabar.

Foi então que alguém veio voando, em alta velocidade, surfando numa espécie de disco flutuante; era alguém vestido de preto e chapéu marrom, uma moça com mão cibernética; veio voando rápido, sacou uma pistola, disparou uma saraivada contra a menina Jamila, que se defendeu com os braços; a moça voadora de preto passou e subiu pros prédios, a furiosa Jamila deu um safanão em todos os homenzinhos que tentavam detê-la, saltou pro alto, atrás da mulher voadora de preto.

— Nina! – vociferou João Arolê, ao se levantar. – O que você pensa que tá fazendo?

— Confia, João! – Nina gritou, enquanto se equilibrava no seu disco flutuante.

O Setor 10 seguia tremendo. A furiosa Jamila Olabamiji saltava por entre prédios, cravava seus dedinhos nas paredes de vidro e aço, preparava impulso, saltava pro próximo prédio; cada arranha-céu contra o qual ela trombava parecia balançar como se fosse prego na areia. Jamila rosnava, gritava, golpeava prédios, andares inteiros eram destruídos; tudo isso tentando alcançar Nina, que voava veloz no seu disco flutuante; o Arolê logo atrás, com sucessivos teleportes no ar.

— Pra onde você está nos levando, Nina? – indagou Arolê, quase sem ar.

— Pro Parque das Flores Macias! – respondeu ela –, lá não tem prédios pra menina destruir...

A menina Jamila, cada vez mais ensandecida, arrancava pedaços enormes dos prédios e os arremessava; tentava atingir Arolê e Nina; ele escapava se teleportando, ela escapava se esquivando; mas os dois iam se cansando, enquanto o fôlego da garota furiosa parecia inesgotável; ela continuava pulando de prédio em prédio; Arolê buscava analisar rapidamente com seu olho biônico, tentava guiar Nina para atraírem Jamila a prédios comerciais que estivessem mais desocupados; moradores berravam e se escondiam, escombros voavam, pessoas corriam para não serem soterradas em seu próprio local de trabalho.

— Nina! – gritou Arolê – Não dá mais pra esperar! Temos de tirar ela daqui agora!

— Eu sei! – gritou Nina –, mas ela não é a nossa única preocupação... olhe!

João Arolê olhou voadores da Aláfia Olusọ se aproximando bem rápido; Jamila se agarrou num prédio e urrou, aquele urro destruidor de coragem; capacetes explodiram, oficiais gritaram, despencaram e se espatifaram no chão; Arolê conseguiu apenas olhar, pois mal conseguia salvar a própria vida; a Jamila, de salto em salto, chegava cada vez mais perto da Nina, que cambaleava em cima do disco; a Jamila soltou outro urro cavernoso que explodiu milhares de vidraças ao redor, a Nina parecia prestes a desmaiar; João Arolê engoliu imediatamente um pílula azul, sentiu as tatuagens arderem tanto que teve vontade de arrancá-las com as unhas; esticou o braço metálico, pegou a Nina no instante em que a Jamila a alcançou; deu sucessivos teleportes para despistar a Jamila, segurou a Nina quase inconsciente com seu braço direito, sentiu o próprio sangue escorrendo pelo nariz e pelos ouvidos; apareceu no ar atrás da Jamila, esticou o braço metálico, agarrou a menina pelo pé e desapareceram os três dali no momento em que os voadores da Aláfia Olușọ chegaram atirando com tudo.

> *Ògún urrou pra ser ouvido*
> *Mas ninguém parecia lhe prestar atenção*
> *Ògún então destruiu a cidade inteira*
> *Destruiu seus próprios súditos com fúria*
> *Percebeu tarde demais que respeitavam voto de silêncio*
> *Acabou se matando de desgosto e arrependimento*
> *E se transformou em ancestral*

O Parque das Flores Macias, um dos mais bonitos de toda a cidade Ketu Três, situado no Setor 10 da Rua Treze, era um aglomerado de cheiros coloridos que se esparramava por toda uma área enorme de folhas gigantescas e flores maiores ainda, arredondadas, pontiagudas, flores ásperas e até espinhentas, mas todas macias e cheirosas; a mistura de odores era tanta que até os riachos cheiravam a perfume. Ruas de pedra polida conectavam os vários cantos do parque, em cujo centro se encontrava a Grande Flor dos Dias Ensolarados – a maior, mais bela e mais antiga flor existente na Cidade.

A Grande Flor ainda estava viva e tranquila, cheirosa e poderosa, apesar da destruição causada pela fúria da Jamila.

No centro do Parque, iluminado pela lua cheia da madrugada, perante o testemunho da mais antiga flor do mundo, a furiosa Jamila Olabamiji ainda se agitava fora de si, chacoalhava as tranças, gritava pra noite, fazendo o possível pra arrasar com tudo. João Arolê dava sucessivos teleportes ao redor da menina, enquanto Nina Onịṣẹ, ajoelhada no chão arruinado, ainda se recuperava dos efeitos do urro.

João Arolê era só suor; mal se aguentava em pé, e parecia não saber mais o que fazer.

Até que viu a Jamila começar a bocejar.

— Peraí... – Nina começou a dizer –, depois de todo esse trampo... ela vai simplesmente deitar e dormir?

— Vai... – respondeu Arolê, se apoiando nos próprios joelhos.

E foi isso mesmo que aconteceu: Jamila Olabamiji foi ficando sonolenta, foi bocejando... e foi deitando no chão de folhas. E dormiu.

— Hã... Simples assim? – Nina perguntou. – A garota arrasa tudo e acaba assim?

— Foi assim da outra vez – disse João Arolê. – Acho que é assim que os poderes dela funcionam. Graças aos ancestrais, ela finalmente ficou com sono...

Nina aproveitou pra voltar a respirar.

— Nina – disse Arolê – *Como diabos* você deixou isso acontecer?! Eu deixei a menina contigo porque...

— Eu sei! – ela exclamou – Não vem de sermão que eu sei... De repente, a garota virou o bicho, não entendi nada! Saiu arrombando tudo! Tomei uma pancada, perdi os sentidos... Quando acordei tava tudo detonado, todo mundo desesperado... peguei meu disco, fui atrás da menina. Tá bom?!

Com as pernas ainda tremendo, João Arolê andou até a menina Jamila, que adormecia, e a pegou no colo.

— Vinte minutos – disse Arolê.

— O quê?

— Dez minutos pra destruir o Setor 10 da Treze, cinco minutos pra destruir a maior parte dos prédios corporativos, cinco minutos pra arrasar com este parque. Esta garotinha roncando nos meus braços causou toda essa destruição em apenas vinte minutos...

— Eu sei... – disse Nina, ainda exausta. – Eu sei. Mas... a Joana, nossa telepata, tá cuidando dela... eu não sei o que causou isso, mas... você vai ter que confiar em mim. Vai ter que confiar...

João Arolê olhou para a pequena Jamila, de tranças embaraçadas, pijama rasgado, sem suas pantufas fofinhas e chapeuzinho de orelhinhas; dormia tranquila, como a criança que era, sem nenhum sinal de ferimento. Sorriu. Olhou então para Nina, olhou bem nos olhos. E disse:

— Eu.. confio. Até porque, não vejo opção melhor pra essa menina.

João Arolê pegou na mão da Nina e desapareceram os três dali, instantes antes de a Aláfia Olusọ aparecer.

## 13. Sangue Demais em Nossas Mãos

*Ocultos no alto de um sobrado espelhado no Setor 8, numa madrugada garoante, sem estrelas, João Arolê e Nina Onísẹ, agentes das forças especiais de supressão, espreitavam seus próximos alvos, que perambulavam na rua logo abaixo:*

*— Viu o que que aquela vadia fez? Ah, se foder! A gente leva pra passear, trata bem, retribuem como? Se foder...*

*— Desencana! A gente acabou com ela e com aquele namoradinho metido a valente!*

*— Lógico! Quem essa gente sangue comum pensa que é?!*

*— Dá pena desse pessoal... não consegue usar os poderes que temos...*

*— Somos ẹmí ẹjẹ! Estamos acima desses lixos!*

*— Só! Aê, vamo quebrar uma loja? Mó tédio e tal...*

*Arolê pegou no braço da Nina, desapareceram; reapareceram diante dos quatro jovens bêbados; um caiu morto pelo Arolê, outro tomou tiro da pistola da Nina; os dois que restaram, a lança do Arolê atravessou o pescoço de ambos num só golpe.*

*— Fernando Oluponã, Alexandre Opeyemi, Renato Omoloso e Roberto Kòifé, executivos juniores envolvidos com desvio de dinheiro corporativo, e com*

*vazamento de informações confidenciais das firmas Kòifé, suprimidos com sucesso* – disse Nina pro dispositivo que segurava.

— *João Arolê deu as costas pros mortos; pegou no braço da Nina e juntos desapareceram.*

Nina Oníṣẹ e João Arolê – com a Jamila Olabamiji adormecida nos braços – apareceram num grande salão subterrâneo. Parecia vazio, umas poucas pessoas aparecendo aqui e ali. Tudo retangular, paredes de metal, corredores retos, quartos que mais pareciam celas de prisão. Arolê ficou olhando para tudo, e fez um muxoxo de canto de boca.

— Sério, Nina? – suspirou ele.

— Concorde que jamais nos procurariam aqui... – Nina coçou a cabeça. – E, depois da algazarra dessa pequena, tivemos que nos mudar às pressas. Desculpe pelas más lembranças que o nosso antigo lar te traz.

— Esta coisa nunca foi nosso lar – disse Arolê.

No alto do salão, a TV estava ligada:

— ...não houve vítimas fatais no atentado ao Setor 10 graças aos dispositivos telecinéticos de segurança dos prédios; toda a extensão do Setor 10 da Rua Treze foi arruinada; o número de prédios derrubados ainda é desconhecido; muitas pessoas sofreram danos psicológicos, choram quando tentam descrever o monstro; as câmeras psíquicas não conseguiram detectar a identidade da criatura; vigilantes clandestinos foram vistos em confronto com o dito monstro; também não puderam ser reconhecidos; especialistas dizem se tratar de embaralhadores mentais, tecnologia não autorizada...

— Bom trabalho, Nina – disse Arolê para a própria, enquanto ajeitava o próprio embaralhador no botão auditivo.

— Eu sei que sou a melhor, obrigada.

A moça de cabelo roxo e shortinho, que se chamava Joana, veio correndo ao encontro deles, visivelmente preocupada, tomando a Jamila adormecida nos braços; havia muitas lágrimas nos olhos da moça. O homem gordo de vestido – cujo nome era Renam – e o magricela de roupas apertadas – Alfredo – vieram para ajudá-la a levar a Jamila. Os três apresentavam hematomas e bandagens; o que se chamava Alfredo veio mancando. A moça que se chamava Joana então começou a chorar abertamente enquanto levava a menina adormecida; João Arolê ficou olhando enquanto se iam.

— Antes de virar o corredor, ainda chorando, Joana olhou nos olhos do João Arolê. Ficaram se olhando por um tempo.

— Entendi – disse Arolê.

Joana sorriu e se foi.

Nina suspirou de alívio; ofereceu cadeira para Arolê, ele se sentou; então, frente a frente um pro outro, João Arolê disse:

— Olha, só vim te trazer em segurança e para me certificar de que a garota desta vez será bem cuidada; mas a sua telepata roxa já me explicou tudo; então, vou me indo...

— Que apressado... Fica calmo aí. – Nina olhou pro braço metálico do Arolê – Me diz, como tá esse braço aí que não para de se remexer? Cê tá cuidando direito do braço que fiz pra você? Cê tá se cuidando?

— É – disse Arolê, se levantando –, parece que realmente é hora de eu ir...

— Cara. Só queria saber se você também tá tendo os pesadelos...

— O quê?

De repente, João Arolê fez uma careta; segurou o próprio braço; percebeu que estava realmente se remexendo, perdendo forma, os fios se contorcendo; as tatuagens ardendo daquele jeito... olhou para Nina Onísẹ: dispositivo multitarefa em forma de óculos, vestes pretas – tudo parecido com os trajes que usavam nas forças especiais de supressão; rosto jovem, cabelos grisalhos debaixo do chapéu marrom; antebraço metálico cujos fios se remexiam, se contorciam. Que nem o braço do Arolê.

— Tem... sangue demais nas nossas mãos, cara – disse Nina –, sangue demais...

*João Arolê e Jorge Osongbo se teleportaram num quarto enorme no Setor 10. Cinco jovens abastados, de pele pretíssima, bebiam e jogavam videogame; Arolê vitimou dois, acertando-os no pescoço; Osongbo perfurou os outros três, no olho direito de cada um, antes que pudessem piscar; um deles ainda se mexia no chão; Osongbo foi lá, pisou na cabeça dele, enfiou a lança na boca da vítima; o rapaz estrebuchou e morreu. Um rapaz novinho apareceu na porta, não teve tempo de gritar, tomou um tiro da Nina; estava ali agachada, extraindo informações dos dispositivos deixados pelos mortos; pegou o seu próprio dispositivo e disse:*

— *Tiago Igbo, executivo pleno da divisão de esportes aéreos da Corporação Ibualama, envolvido com engano de investidores, manipulação de resultados e fraude nas contas, suprimido com sucesso.*

*Osongbo abriu um sorriso; Arolê ficou olhando pro Osongbo; segundos depois, os três desapareceram dali.*

*Quando o velho executivo Deodoro Opeyemi saiu do banho, enrolado numa toalha, e entrou em seu enorme quarto, em sua torre espelhada no Setor 11, Arolê caiu sobre ele com sua lança, lhe atravessou o cérebro; Deodoro morreu instantaneamente; apareceram dois seguranças de azul; um foi alvejado pela pistola da Nina, o outro teve o olho perfurado pela lança do Osongbo; uma mulher jovem apareceu em seguida, não teve tempo para gritar, Osongbo atravessou-lhe entre os seios. Nina pegou o seu dispositivo de gravação e registrou:*

— *Deodoro Opeyemi, violação de sigilo empresarial das companhias Opeyemi, vazamento de informações sigilosas em programa de televisão, suprimido com sucesso.*

*Jorge Osongbo acabou soltando várias risadinhas.*

— Que merda é essa? – perguntou Nina.

— Senhorita Onị́ṣẹ – disse Osongbo –, a senhorita é um caso fascinante.

— Cala boca, Osongbo – disse Arolê.

— Não se meta, João – disse Nina –, sei me virar sozinha.

— Sabe? – inquiriu Osongbo –, você não sabe nem por que existe. O que acha que estamos fazendo aqui?

— Você é doente, né? – disse Nina.

— Sou sim... – disse Osongbo. – A senhorita não faz ideia. A pergunta é: vocês dois estão realmente dispostos a fazer o que for preciso para salvar o mundo?

Jorge Osongbo desapareceu. A Nina ficou olhando para Arolê; Arolê pegou na braço da Nina e juntos desapareceram.

*Uma mulher, de bata e tranças, voava em seu carro losangular madrugada adentro, rapazinho ao lado, bebiam, gargalhavam; Nina e Arolê apareceram de repente, Arolê executou os dois com golpes no pescoço; Nina tocou no visor digital do carro, fez um sinal de positivo para Arolê; ambos desapareceram; o carro foi despencando no meio da Treze; Arolê e Nina reapareceram no topo dum prédio onde Adebayo e Osongbo aguardavam. Nina pegou seu dispositivo de registro, e disse:*

— *Daniela Oluponã, Diretora Executiva do Departamento de Tecnologia das Companhias Opeyemi, envolvida com suborno, lavagem de dinheiro e comércio ilegal de tecnologia confidencial: suprimida com sucesso...*

*Osongbo ria, e ria, mas Nina se esforçou pra fingir que não dava a mínima.*

Ainda sentados de frente um para o outro, João Arolê disse:

— Sangue demais em nossas mãos, realmente... E é por isso que estou fora. Seguindo a minha vida...

— Não, João – disse Nina –, é exatamente o contrário. De todos nós do velho time Lamúria, você é que ainda está mais envolvido... Senhor caçador da Rua Treze.

— Não sou eu quem continua matando todas essas pessoas – retrucou Arolê.

— Eu sei... deve ser coisa *dele*.

— E se for ele, o que *eu* tenho a ver com isso?

— O que você acha? – respondeu Nina. – Por exemplo, aquele incidente com as pessoas enlouquecidas do Setor 3. Experimentos ilegais de genética espiritual da Farmacêutica Kòifé; isso mesmo, daquele Germano Kòifé que nós suprimimos anos atrás! O cara morreu, mas os experimentos não pararam! João, nossos antigos patrões mentiram pra nós! – Nina fez uma expressão de ódio –, tiramos a vida daquelas pessoas todas... e não adiantou nada. Nada!

— Eu sei... disse Arolê, com calma –, e é por isso que eu estou te dizendo: eu não tenho nada a ver com isso.

— Você está ouvindo o que estou falando? Você está se ouvindo?

— Isọtẹ – disse João Arolê, estreitando o olhar –, não vou fazer parte disso. Vocês agem em células, não é isso? A sua é composta por você, essa mocinha telepata e aqueles outros dois caras... está imitando a formação do nosso antigo time? Piada de mau gosto, hein? Nina, por favor: por que você ainda usa essas roupas? Não, você não consegue deixar pra trás. Eu não me meto, a vida é sua. Eu tenho que seguir a minha. Vocês, Isọtẹ, apesar de a opinião senso comum dizer que não passam de criminosos vagabundos, reconheço que são necessários sim. Lógico que reconheço. Mas não quero fazer parte disso.

João Arolê e Nina Onísẹ ficaram se encarando por mais um tempo. Aí a Nina disse:

— Discurso bonito, parabéns. E você, né? Sabe, a Jamila ficava toda hora me perguntando: por que você ainda desfila por aí com essa cara remendada? Por que ainda não consertou de vez o rosto com a tecnologia maravilhosa que temos hoje? – Ela segurou o próprio fio de contas, que era azul-marinho; o do Arolê era azul-turquesa. – E essa tatuagem, João? Essa marca sinistra que fica se alimentando de você... E as suas missões? O incidente do Setor 3. O incêndio no Setor 2. O escândalo do Centro de Estudos Gertrudes Oludolamu. Várias outras. Você se

jogou sozinho em situações extremamente arriscadas....
– João Arolê percebeu as lágrimas aparecendo nos olhos da Nina. – Você se sente tão culpado que esquece que também é uma pessoa que deve ser protegida... Até hoje, você segue se punindo, incapaz de se perdoar... Por isso, os pesadelos vão continuar, cara. Os gritos, as gargantas perfuradas, sangue jorrando, olhos abertos... as... as criancinhas...

João Arolê se levantou da cadeira. Se ajeitou. Nina Onísẹ ficou olhando suas próprias lágrimas descendo sem parar. João Arolê continuou em pé, parado. Segurou o próprio fio de contas. Olhou pra cima. Sentiu o olho umedecendo. Nina continuava olhando pra baixo.

Aí Arolê disse:

— Adeus, Nina – e desapareceu.

## 14. O Surto

*Certa vez houve uma grande fome no mundo*
*Odé Òṣọ́ọ̀sì foi convocado para caçar*
*Para salvar o mundo da destruição*
*Mas Odé caçou tanto, mas tanto*
*Que ficou louco, obsessivo*
*Odé queria matar e destruir tudo*
*o que encontrasse*
*Matou tanto e destruiu tanto que causou*
*um mal ainda pior*

Debaixo de chuva fina, imerso no vapor abafado que subia dos arbustos do Setor 4, João Arolê estava em pé, diante da Clínica das Folhas Verdes. Era um prédio velho, arquitetura quadradona dos finados alienígenas, todo feito de massa rosada e com grafitagem dos jovens da região; antigamente, o interior do prédio era decorado com imagens da religião alienígena; após a Libertação, foram retiradas e substituídas pelas estatuetas e esculturas tradicionais dos descendentes do Continente.

João Arolê segurava o fio de contas azul-turquesa e olhava para o alto, enquanto a chuva penetrava na pele do rosto, entre as partes naturais e artificiais; ficou olhando, e olhando. Mas nada aconteceu.

Foi então que Maria Àrònì apareceu; vestia seus trajes civis, blusa verde e calça branca, e sua bolsa marrom de tecido, de sempre. Os cachos estavam presos num coque no alto da cabeça. Foi fechando o guarda-chuva, se preparando para entrar na Clínica, para mais um dia de trabalho.

E aí ela se virou, olhou para a direção onde João Arolê estava. Só que já não havia mais ninguém ali.

*Um desses bar retrô; piso, paredes, balcão, cadeiras, madeira envernizada; mesas de sinuca na parte de trás; fumaça de erva por toda parte. Os jovens João Arolê, Nina Oníṣẹ e Aline Adebayo, sentados em cadeiras altas no balcão, sem seus trajes negros das forças especiais; Nina olhava pro copo de vinho de palma; Arolê olhava pra lugar nenhum; Adebayo olhava pra dentro si; por um tempo, nada aconteceu; até que Nina viu Jorge Osongbo deixando o bar de mãos dadas com um rapaz de* black power *e roupa de marca; o casal era só sorrisos.*

*Nina ficou olhando. Continuou olhando. Olhou um pouco mais.*

*Adebayo disse então na cabeça da Nina:*

— Sério que você não sabia? Estão saindo juntos faz uns seis meses.

— O Jorge – disse Nina – Jorge sorrindo de verdade. Não aquele sorriso babaca de sempre. Como assim? Como assim o Jorge gosta de alguém?!

— Ai, Nina... – disse Adebayo –, assim não dá pra te defender, amiga.

— *Sério. Isso não é real. Muito sério* – Nina meteu um olhão na Adebayo –, *e você, Aline? Do que você gosta?*

— *Gosto de meninos e de meninas, que nem você* – respondeu Adebayo –, *só que você não faz o meu tipo, querida, já te disse isso...*

— *Ah... –* suspirou Nina.

— *E você, Arolê? –* perguntou Adebayo de repente. *– Do que você gosta?*

*Nina se virou pro Arolê, também esperando resposta; e João Arolê, olhando absorto sabe-se lá pra onde, nada disse.* Nada dizia. João Arolê apareceu no seu apartamento no Setor 3 – ou no Setor 5, nem ele se lembrava mais após mudar tantas vezes. Sentou na cama. Tudo apagado. Afundou a cabeça entre as mãos. Ficou um tempo assim. Depois, levantou um pouco a cabeça. Segurou o fio de contas. Apertou as mãos. Ficou olhando para o alto. Tudo na mesma; nada acontecia Desistiu. Olhou pra baixo. Tirou o fio, colocou-o na mesinha. Tirou as roupas. Deitou, dormiu. Não dormiu. Pesadelos. Desistiu de gritar. Desistiu de chorar. Continuou deitado. Tudo apagado. Nada de sono. Nada dizia.

*João Arolê suspirava no pátio do esquadrão. Andava de cabeça baixa, coçando os* dreads *que estavam crescendo...*

*Veio o Jorge Osongbo, lhe deu porrada por trás. Arolê caiu.*

*Osongbo apareceu em cima dele; Nina chegou dando pontapés; Osongbo se teleportou pro outro lado da quadra; veio a Adebayo, levou os indicadores à cabeça; nada aconteceu; Arolê olhou pra Adebayo, que parecia irritada; depois olhou para Nina, que parecia furiosa; então olhou pro Osongbo, que parecia... calmo.*

*Extremamente calmo.*

*Em pé do outro lado da quadra, meio devagar, meio rápido, meio sem transição, Jorge Osongbo dizia, sem emoção alguma na voz rouca:*

— *Se encostarem nele, vão todos morrer. Estão ouvindo? Vou perfurar vocês bem devagar. Vou continuar perfurando os corpos mesmo depois de mortos.*

— *Para com essa bosta!* – *gritou Nina pro Osongbo.* – *A gente vai dar um jeito!*

*Osongbo apareceu em cima da Nina, todo torto; Arolê surgiu sobre ele, lhe acertou um chute; Nina tentou acertar um soco; Osongbo reapareceu num outro canto da quadra. Voltou a falar com seu olhar desigual, com calma e rouquidão:*

— *Vocês, malfeitores, drogados, sujos, não vão chegar perto dele. Preciso livrar o mundo das anomalias. Deixem-no em paz. É isso. Precisam morrer.*

— *Se aquieta duma vez, Osongbo!* – *disse Adebayo forçando os indicadores na própria testa; nada acontecia. Foi aí que ela viu um dispositivo de proteção na cabeça do Osongbo.*

— Mas que merda...? – Arolê perguntou.
— Vocês todos precisam morrer – disse Osongbo. – O mundo é desfigurado. Anomalias, aberrações. Criminosos de terno roubam, desviam, mandam matar. Famílias tramam contra famílias. Somos marionetes. Não percebem? As tradições falharam. Devemos caçar, devemos destruir todos.

Jorge Osongbo então apareceu em pé, sentado, de cabeça pra baixo, em várias posições ao mesmo tempo, em toda a quadra.

— Ele é bom – continuou ele, no mesmo tom monocórdio. – Ele gosta de mim. Cuida de mim. Por que querem matá-lo? Pilantras. Se tocarem um dedo nele, mato todo mundo. Mato todo mundo.

— Cala essa boca, seu maníaco! – berrou Nina.

Osongbo apareceu em cima dos outros três, ao mesmo tempo; Arolê fez vários teleportes e distribuiu golpes; Nina e Adebayo tentaram golpear com as mãos nuas; os vários Osongbos desapareceram todos de uma só vez e de vez.

João Arolê levou as mãos aos joelhos e aproveitou para respirar; depois, perguntou para suas duas colegas:

— Que diabos foi isso?! E quem é "ele"? Alguém sabe de quem esse atormentado estava falando?!

— Do namorado – disse Nina, num tom meio choroso. – O namorado do Jorge se chama Paulo Itunuoluwa. Nosso próximo alvo.

A noite ainda não havia terminado. O sono ainda não havia vindo. João Arolê ainda jazia na cama. Nada havia acontecido.

*Beep beep.*

— João Arolê?

— Eu sei que é você – disse a voz do outro lado da linha.

João Arolê quase caiu da cama. Arregalou até o olho artificial.

— Aline Adebayo?! – exclamou ele. – Mas como...?

— Olá pra você também – disse Adebayo do outro lado da linha. – Quanto tempo. Enfim. Temos mais um trabalho para você.

João Arolê foi se levantando, foi olhando para todos os lados. Sua lança apareceu.

— Perdão – disse ele –, mas acho que não entendi.

— Ah, sim: esta ligação nunca foi realizada, está bem?

Arolê não respondeu; segurou a lança com firmeza; Adebayo seguiu:

— Ouça com atenção: seu alvo para este trabalho se chama Rafael Igbo.

## 15. O Surto 2
### (Não Tire o Olho de Mim!)

*João Arolê acordou em seu quarto-cela. Foi até a pia, lavou o rosto. Colocou os óculos-dispositivo das forças especiais. Vestiu o traje negro do esquadrão secreto de supressão. Dirigiu-se ao grande salão.*

*Nina Onísẹ e Aline Adebayo já estavam lá, em pé, paradas e rígidas, diante do capitão, e da tenente, Cecília Adeyoye. Os olhos de safira azul do capitão ficaram registrando todos os movimentos até o jovem Arolê se posicionar entre suas duas colegas. João Arolê percebeu que o braço esquerdo do capitão também havia se tornando biônico – agora ele era um ser quase que totalmente cibernético; a tenente Adeyoye parecia a mesma, tranquila, sorridente e agradável, óculos de aros grossos. Arolê olhou de soslaio para Nina; ela mantinha o pequeno* black power *sempre do mesmo tamanho; já a Adebayo raspava a cabeça sempre.*

*Assim que Arolê se posicionou, o capitão disse:*

*— Acordando tarde, pra variar, caçador Arolê. Bom, o senhor e as senhoritas já devem imaginar, mas agora é oficial: Jorge Osongbo não faz mais parte do esquadrão secreto de supressão.*

*— Jorge Osongbo desertou após atacarem vocês na quadra – disse a tenente Adeyoye – Seu paradeiro é desconhecido. Todo e qualquer oficial que tiver*

*informações a respeito deve relatar imediatamente às autoridades do esquadrão.*

— *Quem ocultar tais informações sofrerá as punições devidas – completou o capitão.*

*Arolê, Nina e Adebayo se esforçaram para não esboçar reação. Apesar de a Nina ter suado um pouco perante os olhos de safira azul do capitão, que registravam todos os mínimos movimentos. A tenente Adeyoye olhava pra todos também, mas com suavidade. Ela sorria. O capitão falou outra vez:*

— *Aproveitamos a ocasião para anunciar que a oficial Aline Adebayo também não faz mais parte deste esquadrão secreto de supressão; foi transferida para a unidade de investigações sigilosas das Corporações Ibualama.*

*Aline Adebayo se posicionou ao lado do capitão, cumprimentou-o; depois, cumprimentou a tenente; não expressou emoção, mas Arolê teve certeza de ter escutado um sussurro telepático que dizia: "Até nunca mais, seu palerma".*

*Assim que Adebayo se retirou do salão, o capitão disse então pro Arolê e pra Nina:*

— *Por fim, daremos continuidade à nossa missão de supressão do alvo Paulo Itunuoluwa, que será prontamente realizada pelos oficiais João Arolê e Nina Oníṣẹ, na noite de hoje. Estão dispensados.*

*O capitão e a tenente foram se retirando. Arolê e Nina se mantiveram parados, rígidos. Mas aí o Arolê teve a impressão de ver a tenente Adeyoye se virando para sussurrar:*

— Nem tudo é o que os olhos enxergam...

*Ainda em posição, João Arolê ficou olhando, com muitas dúvidas se tinha visto e ouvido aquilo mesmo, porque na verdade a tenente nem estava mais lá.*

Em pé no seu quarto, segurando firmemente a lança, olhando para todos os lados, João Arolê ainda falava com Aline Adebeyo no telefone.

— Adebayo, o que você...?

— Eu não disse nada – respondeu Adebayo –, esta conversa jamais aconteceu.

— Aline...

— Obviamente, você será muito bem pago pelo serviço.

— ...

— Isso é um sim ou não?

— Não.

— É uma pena ouvir isso... palerma.

*Clic.*

João Arolê soltou uma praga. Fez a lança sumir. Correu até o armário, pegou uma mochila velha, se ajoelhou, fechou os olhos; um a um, seus pertences foram desaparecendo: roupas, colares, computador; terminou, ofegante, suado; cambaleou até a pia, ligou a torneira, engoliu água de qualquer jeito; se arrastou até a mochila, que agora estava muito, muito pesada, e desapareceu no momento exato em que a porta era arrombada por agentes da Aláfia Oluṣọ.

*João Arolê estava no quarto-cela da Nina, trajado com os dispositivos, pronto pra partir pra missão; Nina teclava alucinadamente no seu celular. Suava bastante.*

— Para, Nina! – sussurrou Arolê.
— Oh! Cacete! – vociferou Nina. – A gente não vai matar o namorado do Osongbo! Nem ele, nem mais ninguém! Chega de assassinatos!
— Nina! Seja esperta! A Adebayo não tá mais aqui pra...
— ...ocultar seus pensamentos de mim – *completou o capitão nas mentes de Arolê e Nina.*

João Arolê corria, desaparecia, saltava, abria caminho por entre os prédios; correu por dentro de várias moradias, entre ruas, praças, através dos vário Setores da Treze, por entre feiras de bugigangas, rodas de dança, passou por um concurso de *skate* flutuante no Setor 5, por uma batalha de mc's no Setor 3, até parar dentro dum prédio abandonado no Setor 4.

Estava num quarto escuro de fedor úmido, bolor, mofo, mato, sucata; colocou a mochila pesada no chão, desabou de bunda; arfava, suava; estava quase fechando o olho; pegou uma pílula azul no bolso; respirou fundo; engoliu; dois minutos depois, começou a tremer; parecia que ia vomitar; se segurou, continuou arfando, o olho natural foi se avermelhando; boca tremia; respirou fundo; se levantou; *beep beep*; xingando muito, Arolê atendeu:

— Diga...

— Socorro! – gritou a voz do outro lado da linha – Socorro, socorro!

— Rafael Igbo...? – Arolê ainda arfava.

— Vão me pegar! – gritou Rafael Igbo – Socorro socorro!

— Calma! – exclamou Arolê – Onde você está?

— Subsolo da Casa de Cultura Laura Ayokunle! – disse Rafael Igbo.

— Estou indo. Fique parado, não faça nada...

— Obrigado! Obrigado obrigado obrigado!

*Clic.*

João Arolê respirou fundo de novo; pegou na mochila e desapareceu.

*João Arolê e Nina Onísẹ apareceram num enorme fundo de quintal, iluminado pela luz da lua. A grama cintilava; as árvores eram tão vivas que pareciam se mover – na verdade, algumas árvores, artificiais, se moveram em direção aos recém-chegados; Nina sacou um dispositivo do bolso, apertou uns botões; as árvores mecânicas pararam; Arolê correu até a garagem, certificou-se de que não havia nenhum veículo estacionado.*

— Foram todos pra tal festa de gala na Torre Igbo – disse Arolê.

— Os sensores dizem que Paulo Itunuoluwa está no quarto escrevendo seu próximo romance – disse Nina. – Vamos...

Nina apertou um botão do dispositivo, a porta de metal abriu. As luzes da casa estavam todas apagadas. Entraram pela cozinha; Arolê conseguia escutar a música que tocava no quarto do Paulo Itunuoluwa, no andar superior. Foram andando; Nina continuava apertando botões no seu dispositivo; Arolê sussurrou:

— Nina, tem certeza...?

— Agora não – sussurrou ela sem tirar os olhos do aparelho. – A gente vai sim avisar o Paulo Itunuoluwa, sim! Chega de matar!

— Mas por que temos de vir até aqui só pra avisar o cara...?

— Já te falei! As redes desta casa são completamente fechadas... Aqui eles não conseguem nos rastrear, já testei; então, depois de "cumprirmos" nossa missão, a gente vai aproveitar pra escapar das forças especiais!

— Seus embaralhadores de imagem vão ser suficientes?

— Pode confiar, já testei! Dava pra gente ter escapado antes, se a gente não tivesse sido pego em flagrante... olha, ninguém vai conseguir detectar quem estiver protegido pelo meu embaralhador, seja das forças especiais, seja da empresa de segurança *que for! Cometeram um erro ao me ensinarem todas as nuances dos meus poderes, ao me darem acesso a tantos dispositivos... agora, eu sei tudo de tudo e mais um pouco!*

— Nina – disse Arolê –, chegamos...

Chegaram a um corredor longo, paredes brancas, quadros e máscaras penduradas – desativadas – sussurrou Nina; uma música suave emanava da porta no fim do corredor; os dois alcançaram a porta e a abriram.

Entraram num quarto grande; paredes amarelas, vermelhas, verdes; grande estante, esculturas, estatuetas, muitos livros; cama de colchão eletrônico jazia no canto esquerdo, mesa com diversos dispositivos no canto direito; computador donde emanava uma música flutuante, doçura espiritual, batidas instrumentais de hip-hop; em frente ao computador, uma cadeira, na qual alguém estava sentado; de costas pros dois recém-chegados. Nina piscou, a música parou.

— Paulo Itunuoluwa... – disse Nina –, por favor, mantenha a calma! Escute bem o que temos pra dizer; a gente veio...

— Nina! – interrompeu Arolê – Não estou escutando a respiração dele...

— Quê? Impossível! Os sensores mostram que ele está vivo desde que entramos!

João Arolê foi até a cadeira. Virou-a. Viu o Paulo Itunuoluwa, vestindo pijama, rosto numa careta de aflição...

*...já que a lança do Arolê estava bem enfiada no seu coração.*

*— MAS O QUÊ?! – gritou Arolê, segurando a lança com as duas mãos. Percebeu de repente que estava todo sujo do sangue de Paulo Itunuoluwa.*

*— C-COMO?! – surtou Nina ao perceber, de repente, que segurava a pistola que havia acabado de executar Paulo Itunuoluwa com um tiro bem na testa.*

*Arolê então sentiu seu senso de perigo apitando alto; imediatamente deu um passo pra trás, no momento exato em que a lança do Osongbo apareceu bem na sua cara; Arolê conseguiu evitar que trespassassem seu crânio, mas seu globo ocular direito foi destruído; levou a mão ao rosto, gritou de dor; Osongbo, todo torto, disse, num tom quase robótico:*

*— Meliantes assassinos. Mataram o meu amor. Vão sofrer muito antes de morrer.*

*Jorge Osongbo se teleportou atrás da Nina, que se concentrava de olhos fechados; fios grossos saíram das paredes, prenderam os braços e pernas do Osongbo; Nina correu até o Arolê, João Arolê pegou no braço da Nina, pressionou a mão contra seu olho destruído e teleportou os dois para fora dali.*

João Arolê apareceu no subterrâneo da Casa de Cultura Laura Ayokunle. Realizou um *scan* rápido na área; não havia ninguém além do Rafael Igbo, que o aguardava no centro do salão. Arolê chegou já pegando no braço do garoto; disse:

— Muito bom, Igbo, vamos sair daqui...

— Eles querem me pegar por causa da minha habilidade de prever o futuro! – disse Rafael Igbo – É o mesmo poder do meu falecido irmão, só que mais forte...

— Já sei disso. Para de gritar. Vamos...

— Espera! – disse Rafael Igbo se desvencilhando – Tá vindo uma visão agora!

— Não é hora disso...

— Tá vindo a visão da sua morte, senhor Arolê. Adeus.

João Arolê sentiu o arrepio atordoante do seu senso de perigo; levantou o braço biônico, bem a tempo de se defender da lança do Osongbo, que se teleportou no alto; Arolê desapareceu, reapareceu alguns pilares mais pra trás; Osongbo já estava atrás dele, com a lança de ponta cinzenta apontada pro pescoço do Arolê.

— Hora de dar adeus ao outro olho, meliante assassino – sussurrou o monocórdio Jorge Osongbo no ouvido de João Arolê.

## 16. O Surto 3
### (Espaços de Insegurança Interna)

— *Que que foi aquilo?! – Nina gritava – Nós não...! Não fomos nós! Mas o que...?!*

— *Mais fuga, menos papo... – disse João Arolê com o olho destruído. – Vamos...*

*Desapareceram do quintal enorme de grama cintilante, reapareceram no meio duma rua deserta; saltaram de novo, saltaram várias ruas à frente; saltaram outra vez, foram aparecer no meio da Avenida dos Brilhantes do Setor 10. João Arolê se arrastou até um poste, ofegou; não havia ninguém por ali naquela hora da madrugada; as joias cintilavam refletindo a luz da lua.*

— *Não fomos nós, não fomos nós, não fomos nós... – Nina repetia.*

*João Arolê pressionava o rosto ensanguentado; Nina então saiu do estupor; foi até ele com uma seringa, injetou pouco abaixo da região onde antes havia o olho direito de seu companheiro; a dor relaxou, o sangramento parou.*

— *Obrigado... – disse Arolê. – Também não estou entendendo nada... Temos de ir.*

*Pegou no braço da Nina, saltaram; apareceram várias ruas adiante, em vários lugares ao mesmo tempo; seguiram saltando várias vezes seguidas; pararam, por fim, no Parque das Águas Verdes; estavam diante duma árvore de tronco enorme, da qual se derramavam centenas de cipós emaranhados. Arolê se encostou no tronco, desabou; ofegava tanto, que o ar do mundo inteiro não era suficiente. Nina parecia prestes a vomitar.*

— Cara – disse Nina –, eu não... Que merda... Eu ainda... Mas...

— Agora... não... Nina. – Arolê mal conseguia falar.

— Como a tua lança foi parar no coração dele?! Como assim eu disparei na cabeça do cara?! A gente não fez nada disso! Por que o Jorge chegou exatamente naquela hora? Foi tudo armação! Que bosta foi aquela?!

— Nina... Cala... essa... boc...

*O senso de perigo do Arolê estourou; se levantou rápido, tentou tirar a Nina do lugar; Jorge Osongbo apareceu, arremessou uma pequena esfera, desapareceu em seguida; Arolê correu na frente da Nina, tentou pegar a esfera com a mão; acabou tropeçando; Nina tentou socar a esfera pra longe; a esfera explodiu; foi um estouro tão tremendo, tão espetacular, que a enorme árvore maciça, cheia de cipós emaranhados, desapareceu quase que completamente.*

— Estou muito feliz – sussurrou Jorge Osongbo no ouvido de João Arolê –, vou poder arrancar seu outro olho e seu outro braço.

O olho de safira azul do Arolê registrou a nova aparência de Jorge Osongbo: todo raspado, rosto e corpo, inclusive as sobrancelhas; colante cinzento, repleto de dispositivos psíquicos e aplicativos militares de ponta; estupidamente mais magro que antes, praticamente pele e osso; os dentes agora eram de metal, afiados como presas.

— Quanto tempo, Osongbo – disse Arolê. – Está bem bonito.

— Morra – cuspiu Osongbo.

João Arolê desapareceu antes que Osongbo lhe enfiasse a lança na garganta, apareceu bem na frente do Rafael Igbo, que sorria abertamente; desapareceu antes que Osongbo lhe enfiasse a lança na cabeça, apareceu várias colunas adiante; novamente Osongbo estava já em cima; Arolê deu mais alguns saltos aqui e acolá, Osongbo sempre no encalço; até que parou no centro do salão, Osongbo à sua frente. Ficaram se encarando; Osongbo fazia a lança girar em sua mão; Arolê suava em bicas, olho dilatado, braço biônico se remexendo devido ao dano causado pela lança energizada de seu oponente.

— O senhor percebeu? – disse Rafael Igbo para Arolê. – No momento, o senhor não conseguirá se teleportar para fora deste salão; receio que terá de ter sua conversa com o senhor Osongbo até o fim...

— Entendo... – disse Arolê, tentando respirar. Seu olho biônico ficou olhando o próprio braço se contorcendo, se deformando.

De repente, Rafael Igbo começou a gargalhar:

— Os senhores são demais! Demais! Valeu a pena ter vivido pra ver vocês dois tentando se matar! Que maravilha, que espetáculo! Os senhores, que mataram o inútil do meu irmão, agora tentam acabar um com o outro! Isso é viver! Isso é ser da linhagem superior *ẹmí ẹjẹ*! Matem-se, matem-se! Palhaços imundos! Quero mais é que todos vocês se fod...

...e aí o Rafael Igbo percebeu que era difícil gargalhar com a lança do Osongbo enfiada no olho.

— Mas o quê... – perguntou Arolê.

— Ops – disse Osongbo, apático, com o Rafael Igbo se contorcendo todo espetado na lança.

— O que ele... Igbo... eu não...

João Arolê mal conseguia respirar; o braço metálico havia se tornado uma massa revoltante de fios e circuitos; o olho natural parecia uma bolha nojenta de sangue.

Jorge Osongbo entortou o próprio pescoço; a cabeça ficou na horizontal.

— Isca – disse ele –, pra atrair você até mim. Ué.

— É você que... matando... corporativos... celebridades... notícias da TV...

— Por que fazer perguntas óbvias?

— Mas... por... quê...?

Arolê arfava cada vez mais; fios do braço metálico se contorcendo como se fossem vermes; Osongbo, ainda com a cabeça torta, balançava o Rafael Igbo como se fosse um brinquedo desses qualquer.

— Ué – disse Osongbo –, esqueceu? Criminosos, parasitas, ladrões. O dever do caçador é proteger a sua comunidade. Esqueceu? Caçador que renunciar ao seu dever também é um criminoso. Você não escapará da minha justiça.

— Justiça...? E... quanto a... você...?

— Adeus.

O segundo que Osongbo gastou pra tirar a cabeça do Rafael Igbo da sua lança foi o segundo que Arolê precisava pra enfiar a mão direita no interior revoltoso do seu braço biônico e arrancar um pequeno dispositivo em forma de aranha.

— Descobriu! - exclamou Osongbo aparecendo bem na frente do Arolê; mas já era tarde; João Arolê já havia desaparecido.

*Quando João Arolê apareceu, Jorge Osongbo já esperava no alto do prédio.*

— Está atrasado – disse Osongbo.

— *Desculpe – disse Arolê, ofegante –, eu estava...*

— Não interessa o que estava fazendo – Osongbo foi se sentando no parapeito. – Já terminei o serviço.

— Quê?

— *Senta aí. Vamos conversar...*

*Arolê e Osongbo estavam numa das torres mais altas de Ketu Três, no Setor 11. A imensidão se esparramava no mundo lá embaixo. Arolê se sentou ao lado do Osongbo, que olhava pro horizonte. Soprava uma brisa azul naquela madrugada de temperatura agradável. O que havia além do horizonte? O que havia além do céu?*

— Quer um chá? – perguntou Osongbo.

— Não, obrigado...

Osongbo estendeu a mão, um grande copo de chá fumegante apareceu em sua mão. Sorveu um gole. Arolê se encolhia, olhando pra lugar nenhum.

— E aí? – disse Osongbo. – O que está achando de tudo isso?

— Como assim? – retrucou Arolê.

— Tua mãe não te ensinou que só os idiotas respondem a uma pergunta com outra pergunta?

— Humpf...

— O que acha da tenente Adeyoye?

— Ora... – Arolê pigarreou. – Eu não acho nada... Quer dizer, todos gostam dela. Então, eu também... quer dizer... Ora, ela é... é uma excelente pessoa. Nossa... melhor professora.

Osongbo começou a dar umas risadinhas. Arolê ficou olhando pra ele.

— De onde acha que vem o nosso poder? – Osongbo se levantou. – Ou melhor... o que você acha que é este nosso poder?

— Ah... – Arolê colocou a mão no queixo. Não parecia perceber que sua respiração tinha começado a acelerar. – Ora. É.

Osongbo jogou o copo de chá pro alto e o fez desaparecer; ao mesmo tempo, ele próprio havia *desaparecido e reaparecido bem na cara do Arolê, que se afastou um pouco.*

— *Curioso – disse Osongbo bem na cara do Arolê –, quer dizer que você sai saltando por aí sem dar a mínima pra isso? Você não faz ideia do que o seu sangue ancestral é capaz...*

*Arolê se levantou, cerrou os dentes.*

— *Os espaços estão todos ligados! – cuspiu ele. – Porque espaço é uma coisa só. Todas as coisas coexistem, ao mesmo tempo, no mesmo espaço! Pessoas como a gente possuem o dom espiritual de se mover através das ligações entre os espaços – Arolê agitava os braços –, pois distância é uma percepção, um construto conveniente, não existe de verdade. Daqui mesmo onde estamos, é possível tocar as estrelas lá no alto!*

— *Repetindo feito um papagaio o que a Adeyoye falou na aula... – Osongbo desdenhou: – Se decorou tudo... então por que desistiu das estrelas?*

— *O quê?*

*Osongbo apareceu atrás do Arolê. Embora nunca tenha saído do seu lado. Apareceu na frente também. E um pouco mais atrás. Acima. Por outros lados. Osongbo, todos eles, falaram ao mesmo tempo:*

— *Sabe? É irritante. Por que se desperdiça? Por que não explora todas as possibilidades do teu dom? Por que desistiu do sonho de viajar até as estrelas?*

— *Não é da sua conta! – Arolê sacou a lança, apontou-a pra todos os lados, pra todas as imagens de Osongbo ao seu redor.*

*As imagens de Osongbo sorriram; todas sumiram, exceto um – bem atrás do Arolê, apontando pra sua nunca.*

*— Por que nega a sua herança ancestral? – perguntou Osongbo.*

*Agora foi a vez de o Arolê soltar um sorriso; ele respondeu:*

*— Pelo mesmo motivo que te faz fingir que ama teu namorado.*

*A lança do Osongbo perfurou o ar, pois João Arolê já havia desaparecido.*

João Arolê estava agachado no quarto vazio de algum prédio abandonado do Setor 2. O braço metálico ainda era uma massa de circuitos se engalfinhando, o olho direito ainda era uma bolha de sangue pela qual Arolê não enxergava mais nada; as tatuagens ardiam o inferno, músculos e ossos eram uma ruína. A única coisa que Arolê conseguia fazer no momento era apertar o botão auditivo, apertava, e exclamava:

— Nina! Nina! Atende, cacete!

— O quê? – finalmente disse a voz da Nina do outro lado da linha – João?! Onde cê tá? Que que tá havendo? Os sensores aqui tão mostrando, teu braço tá todo zoado! Teus sinais vitais tão na bosta! Que que tá havendo?

— Nina! Presta a atenção! Tem um traidor aí no seu grup...

— Merda! – barulho de tiros do outro lado da linha – Cuidad......!

*Clic.*

— Nina? – Arolê gritou, mas não tinha ninguém pra ouvir.

— Nina!!!

## 17. Doutora das Folhas Verdes 2
### (As Folhas Funcionam!! Remix)

Quando João Arolê acordou, viu-se deitado numa cama de metal, coberto com pano branco, numa sala com computadores e máquinas. Não sentia o próprio corpo; ao mesmo tempo, percebia formigamentos em cada músculo, em cada osso, em cada célula; percebia uma variedade de novos cheiros, sabores, ruídos; formas translúcidas dançavam ao seu redor, microexplosões de energia se expandiam, se esparramavam por todo o universo que era o seu próprio corpo; Arolê se dava conta de que, apesar da explosão causada pela bomba do Osongbo, ainda estava respirando vivo.

— João! Acordou finalmente! Fala como tá se sentindo? Fala!

Nina estava do lado da cama, inclinada bem em cima do Arolê, sorridente, aliviada; já ele queria abrir a boca pra falar, mas mal conseguia balbuciar; Nina foi tirando o pano, Arolê viu que estava nu; depois dum tempo, depois de Nina olhar Arolê desde o mindinho do pé até o último fio de cabelo, ele finalmente conseguiu dizer:

— Nina... o que...?
— Calma – disse Nina.
— O que... o que é...?
— Vai com calma!

— Tarde demais. João Arolê levantou o pescoço, se engasgou com o que viu: seu braço esquerdo havia se tornado uma massa de circuitos, de fios metálicos, que se contorciam, como se fossem vermes enlouquecidos no cio.

— João – disse Nina –, mantenha a calma. Focaliza. Faz teu braço ter... forma de braço. Respira fundo. Fecha os olhos. F-o-c-a-l-i-z-a.

— João Arolê olhava para aquilo que Nina dizia ser seu novo braço; parecia sentir cada um daqueles fios se remexendo; fez cara de enjoo; Nina olhava-o com preocupação; Arolê então se concentrou; a massa de circuitos foi parando, se aquietando, até ficar do mesmo formato que seu braço direito.

— Aê! – Nina comemorou. – Conseguiu!

— Por que... esse braço... por que... você... tá azul...?

— Ah... – Nina coçou o queixo. – A explosão destruiu teu braço. E a metade direita do teu rosto. Teu olho direito agora é... um monóculo de safira azul; essência espiritual solidificada. É isso. Já esse teu braço... eu tive que, hum, infectar você com... vírus tecnorgânico. Esse teu novo braço é um tecido vivo de circuitos! É tecnovírus extraído de serpentes da Falange Magnética Ancestral...

João Arolê ficou olhando pra Nina com cara de interrogação; ela suspirou:

— Bom! Logo você aprende! Tá cheio de dispositivos bacanas! É só ir regulando no botão auditivo... esse aí no lugar onde, hum, deveria estar sua orelha direita.
— Ah tá.
— É que você acabou tomando o pior da explosão tentando me salvar; graças a tu, só tive isto...

Nina mostrou o antebraço direito dela, que havia se tornado tecnorgânico também. Depois de um tempo, ele perguntou:

— Nina... Como é que nós... sobrevivemos?
— Ah. Uma curandeira nos salvou! Parece que ela tava no parque, fazendo um ebó, quando ouviu a explosão; aí foi lá nos socorrer! – Nina pegou no rosto do Arolê; os olhos dela brilhavam. – Cara, que mulher bonita! Cê tinha que ver! Depois de dar um trato em mim, ela me ajudou a te trazer, cê tava muito na pior! Pena que ela teve de voltar correndo pro plantão dela na Clínica das Folhas Verdes... Mas, cara. Que. Mulher. Linda.

Coberto com trapos esfarrapados, braço esquerdo se remexendo loucamente, João Arolê cambaleava, todo torto, nos arredores da Clínica das Folhas Verdes, no Setor 4. Era bem tarde da noite, poucos prédios acesos, poucas pessoas perambulavam; ninguém pareceu prestar muita atenção no Arolê; ele continuou se arrastando pela área menos iluminada nos fundos da clínica, seu olho de safira azul perscrutava todos os cantos; parou, ofegou;

olho natural era uma bola nojenta de sangue, o braço mecânico seguia fervilhando; Arolê começou a vomitar sangue; caiu de joelhos, tentou se levantar, não conseguiu; tentou de novo; pernas não se mexiam; sentiu o olho caindo, fios e circuitos do braço se espalhando pelo corpo, rasgando as carnes; Arolê foi indo de encontro ao chão... até que uma portinhola se abriu atrás dele, e a mãos da Maria Àrònì o puxaram para dentro.

*O* Shopping *3 do Setor 9 da Treze era enorme; um labirinto de lojas em cujas vitrines brilhavam roupas, livros, joias, dispositivos da moda, artigos ancestrais. O jovem João Arolê parecia meio tonto com o excesso de sons, odores e informações; a jovem Nina parecia meio maravilhada, meio apavorada, como se nunca houvesse estado num* shopping *antes.*
*— Cara! – exclamou ela. – Por que a gente nunca pensou em fazer um passeio desses nos intervalos? Olha tudo isso! Montão de coisas! Consigo sentir as coisas! Sinto os espíritos dentro de todos os dispositivos! Muitas vibrações! Muitas sensações! Muito tudo! Caramba!*
*— Calma! – Arolê exclamou. – Você tá feliz, ligadona, que bom! Eu tô é tonto... Já estive aqui, algumas vezes... Meus pais me traziam...*
*A expressão radiante de alegria sem limites da Nina murchou de repente.*
*— Ah tá.*

João Arolê pegou na mão da Nina, com suavidade; a fez sentar num banco em frente a uma fonte. O chafariz tinha a forma de uma besta aquática do Mundo Antigo; as águas dançavam ao ritmo dos espíritos musicais que cantavam pelo shopping.

— Pronto – disse Arolê, se sentando no banco, frente a frente com a Nina.

— Quê?! Olha aqui!

— Chega. Você sempre fica muxoxa quando a palavra "pais" aparece. Sempre. É hora de pôr isso pra fora... senão isso vai te consumir pra valer.

Nina suspirou. Olhou pra cima. Meneou com a cabeça. Apoiou o queixo na mão direita. Suspirou de novo. Olhou nos olhos do Arolê. Olhou pra cima de novo. Falou:

— Meu pai tinha muita inveja. Sempre odiou superpoderes; "é antinatural!", "só os ancestrais deveriam ser capazes dessas coisas!". Sempre detestou empresários, celebridades. Aí, a irmã mais nova dele nasceu ẹmí ẹjẹ. Essa minha tia foi muito paparicada, virou jogadora de futebol sobrenatural; Nandinha Oníṣẹ, do Pupa Dudu, você sabia?

— Você sabe que torço pro Pupa Dudu! – Arolê engasgou. – Não acredito! Nandinha, tua tia?! Caramba! Mas... Se ela é tua tia, famosona e tal, por que você tá aqui?

— Então... Papai detesta tia Nandinha. Papai é o primogênito; trabalhou muito, foi bom funcionário, se *esforçou. Deu duro para honrar nossa linhagem... Mas uma pessoa comum não é ninguém perto de um ẹmí ẹjẹ. Tia Nandinha era a preferida de todos da família. Todo mundo só falava dela! Era como se ela fosse a primogênita, e não o meu pai. Papai se esforçou tanto pra nada, pois quem provê a família em tudo é tia Nandinha. Papai cresceu frustrado, odiando todo mundo que "tem a vida ganha só porque deu a sorte de nascer aberração". Casou sem amor com mamãe; logo se separaram, ele era amargo demais. Mamãe me deixou com papai, e se casou de novo. Aí, papai ficou viciado em pílulas; um dia, tava tão mal, tão louco, que veio pra cima de mim... e aí, meus poderes eletrocinéticos despertaram.*

*— O que você fez com...?*

*— Dei um choque tremendo nele. Papai foi parar no hospital, tá em coma até hoje. Eu vim parar nas forças especiais. Tia Nandinha deixou que eu fosse sequestrada pelas Corporações, não quis se meter para não comprometer os contratos de patrocínio e mídia. O resto da família Onịșẹ também não fez nada, porque até hoje dependem da tia Nandinha pra tudo. E aqui estou, sozinha... e sozinha sempre estive; contei toda essa história e não falei nada de mim, porque não tenho nada pra falar; tive uma infância solitária, ficava brincando sozinha, jogando* videogame *sozinha; as crianças tinham medo de mim porque eu era sobrinha de uma* ẹmí ẹjẹ *muito famosa; fora isso, ninguém nunca ligou pra mim, nem meu pai, preocupado demais com*

ele mesmo; nem minha mãe, que só ficava no mundo dela; nem meus tios; muito menos tia Nandinha, nunca foi nem me visitar, nem nada. É como se eu não existisse, porque sou filha do filho que não existe. Ninguém liga. Eu só queria uma família. E estou aqui. É isso...

João Arolê ficou olhando para Nina. Havia lágrimas. Ele pegou a mão dela e a beijou.

— Para com isso! – exclamou Nina.

— Está tudo bem – disse Arolê. – Você está aqui. Eu também estou.

— Já disse pra parar! – exclamou Nina, enxugando as lágrimas. Voltou a sorrir. E Arolê sorriu junto.

— A primeira pessoa que o Jorge matou foi o próprio pai – disse Nina.

— Quê?! – Arolê acabou engasgando com o suco que tomava.

João Arolê e Nina estavam no quarto da Nina, jogando videogame, vestidos apenas com as roupas de baixo e sentados na cama quadrada e dura. A cama estava bastante bagunçada. Estavam concentradíssimos no jogo, até Nina ter soltado a bomba que fez Arolê engasgar.

— Parece que o pai do Jorge era aquele figurão, Roberto Osongbo – continuou Nina sem parar de jogar.

— Calma, Nina! – disse Arolê, nervoso, e sem parar de jogar. – Muita coisa ao mesmo tempo! Primeiro: como é que você...?

— Arquivos secretos digitais. Meu poder. Faça as contas.

— Você é maluca?! Se descobrirem...

— Não descobriram. Se concentra, cara! Embaralhei as câmeras aqui do quarto essa noite inteira enquanto a gente agitava, mas não vou conseguir burlar por mais tempo, vão desconfiar, daqui a pouco não vai dar mais pra falar, então fica quieto e escuta, belê?

— Ok – disse Arolê, que fez uma careta porque acabara de tomar uma porrada da Nina no jogo.

— Certo – disse Nina, sem tirar os olhos do jogo e espancando Arolê mais uma vez – Então, Roberto Osongbo, aquele apresentador dos poderes empáticos e tal, que morreu num acidente de carro enquanto tava rolando a final da Copa Exploradores; então, parece que, na verdade, o cara tomou uma estocada no olho direito, teve o crânio perfurado; já tava morto quando o carro voador caiu...

— Osongbo... – disse Arolê, suspirando por tomar mais uma surra da Nina.

— Pelo que vi nos arquivos – disse Nina, metendo mais um combo no Arolê –, bom, vou resumir: Roberto Osongbo, empresário bonitão, todo sorridente na TV, todo mundo o amava por causa do supercarisma dele e tal, apresentava aquele programa que reformava carro, reformava casa, povão chorava, aplaudia; aí teve toda aquela comoção quando o cara morreu, cê *lembra; então, esse Roberto Osongbo era um baita dum ladrão!*

— *Como assim? – perguntou Arolê. – O cara era do mesmo naipe desses aí que a gente... suprime?*

— *Sim – confirmou Nina. – O cara desviava fundos dos programas sociais que anunciava. Enganava as pessoas com seus poderes e as extorquia. Humilhava os comuns nos bastidores quando ninguém estava olhando. Pessoas cometeram crimes e suicídios por causa de todo o dinheiro que ele roubava. Parece que, um dia, o menino Jorge descobriu todas essas maracutaias; parece que Jorge idolatrava o pai como o maior herói benfeitor de todos os tempos, sonhava ser que nem ele; quando descobriu o que o pai era de verdade, ficou maluco. E o matou...*

— *Ah, sim... – disse Arolê –, então, foi a decepção extrema que fez ele... ser isso aí que ele é. Hum. Porém...*

— *Roberto Osongbo jamais maltratou o Jorge. Muito pelo contrário, mimava-o bastante. Jorge tinha tudo o que queria, até mais que o padrão das crianças filhas de grandes empresários. Jorge e sua mãe só tinham do bom e do melhor. Eram uma família feliz. Foi então que a mãe morreu cedo, de doença... na verdade morreu de* overdose, *parece que vivia chapada, não estava nem aí pra nada. O menino Jorge descobriu tudo: o motivo da morte da mãe, as falcatruas do pai, que haviam causado tanto mal pra tanta gente; só que, em vez de se afundar em pílulas que nem a mãe, preferiu dar um fim no pai. E aí virou esse babaca alucinado que conhecemos hoje. Fim. Chega de papo, as câmeras vão voltar ao normal daqui a pouco, se veste aí.*

*João Arolê ficou tomando porrada da Nina no jogo, e pensando, pensando.*

Pensou que estava morto, mas estava respirando, vivo, numa mesa fria metálica num salão todo branco e azul.

— Nina...? – perguntou Arolê.

— Conheço uma Nina – disse alguém. – Tá me traindo com ela, safado?

João Arolê virou o rosto, viu que era Maria. Trajada como curandeira da Clínica: saia longa, camisa com babados, turbante, panos e mais panos, tudo branco. Fio de contas verde e branco. Arolê percebeu o bastão de madeira nobre atado às costas dela. Ela continuou falando:

— Fica um tempão sem aparecer, e aí, quando aparece, é bagaçado desse jeito? Tá de sacanagem, né? É um caçador mesmo...

— Sinto muito... Doutora...

— Trouxa. Seguinte, tem um monte de guarda do Àkọsílẹ Oju lá fora, e da Aláfia Olusọ também... Que que cê andou aprontando, hein?

Arolê arregalou o olho. Tentou se levantar; fez uma careta de dor; voltou a se deitar, praguejando.

— Fica quieto! – disse Maria –, ainda não terminei seu tratamento.

João Arolê percebeu que estava nu, só que todo coberto de grandes folhas verdes, principalmente nos ferimentos mais graves. Havia uma espécie de unguento no olho natural, e mais e mais folhas verdes.

— Só curei os danos mais urgentes. Tirei o Fogo Azul do seu organismo, essas pílulas que você fica tomando pra aumentar seus poderes, essa porcaria é tóxica, sabia? Curei seu olho direito, tava todo zoneado. Que trouxa você é. Mas falta um tanto ainda. Fica quietinho...

— João Arolê tentou balbuciar alguma coisa, Maria levou o indicador dela aos lábios dele; e então pegou um grande pote de barro, derramou todo o seu conteúdo sobre o corpo de Arolê, da cabeça aos pés; depois, encostou as duas palmas de suas mãos no peitoral do caçador; e aí Maria Àrònì começou a entoar cantigas de poder! João Arolê fechou os olhos...

....*e viu o Senhor das Folhas, o Médico, de uma perna só; trajado com as folhas da floresta, livre, livre, as folhas rodopiando ao vento; vim para dançar entre as pessoas mortais, sem ser notado, sem me importar; nunca me pergunte, é o segredo; entre magias e feitiços, preparo beberagens, banhos, unguentos, curo pestes, febres, órgãos corrompidos, limpo a pele purulenta e o sangue pisado, as folhas funcionam! As folhas funcionam! As divindades, meus irmãos e irmãs, tentaram me roubar o segredo das folhas, mas não tem como, eu sei, somente eu conheço, dei uma folha para cada um, mas o segredo é meu; caminho pelo mundo, preparo chás, infusões, pomadas; enfeiticei o caçador, meu amante? Não é da sua conta, nunca saberá. Perambulo pelo mundo, livre como a folha que o vento leva, as folhas funcionam, diga. Diga!!*

— *Ewê Assáo Eruéje!!* – Arolê gritou, de repente.

João Arolê abriu os olhos no susto; se sentia completamente renovado, respirando sem dor; músculos relaxados; braço metálico quieto, com forma de braço mesmo; olho natural estava natural de novo; estava tudo lá, vigor total! Como que nascido outra vez.

— Doutora... então... é esse o seu trabalho... – sussurrou Arolê.

— Eu disse. Sou Maria Àrònì, a Olóòsanyìn. Meu trabalho é um só: curar as feridas do mundo.

— Linda...

— Trouxa – disse ela, se levantando; estendeu a mão. – Agora, Caçador, me pague sete búzios. Faz parte da magia, você sabe.

João Arolê meteu a mão nos bolsos, pagou a quantia; e aí ele não lembra mais nada, porque caiu imediatamente num sono profundo.

## 18. O Surto 4
### (Morte! Morte! Morte!!)

*Madrugada sem lua no Setor 8 da Treze. Postes com lâmpadas esféricas iluminavam a rua com luzes sobrenaturais; uns poucos carros passavam rasgando, deixavam pra trás um rastro luminoso. Jovens caminhavam pelas calçadas, meninas e meninos; batas, vestidos, alta qualidade; tranças,* black powers; *um grupo de amigos voltando de alguma noitada. Acocorado numa árvore alta no Parque das Águas Verdes, vestindo o traje negro do esquadrão de supressão, João Arolê acompanhava aquele grupo com o olhar; viu-os passando em frente ao portão do parque, seguindo pela calçada, pararam num bar lotado; encontraram mais um grupo de jovens; se sentaram para confraternizar; risos, gargalhadas. Jovens da sua idade; sorrindo, se abraçando, dando as mãos; se beijando; Arolê ficou olhando.*

— Lamentável – disse Jorge Osongbo aparecendo atrás dele –, não é hora de sentir inveja dessa criançada mimada. Temos missão pra cumprir. Vamos.

— Vamos... – disse Arolê; junto com o Osongbo, desapareceram dali.

Apareceram no alto dum prédio vizinho ao Parque. Nina já estava posicionada com a mão no chão, realizando seu serviço.

— Ainda não desativou a segurança, Oníṣẹ? – disse Osongbo assim que chegou.

— Já disse que não adianta me apressar, cara! – exclamou Nina. – O firewall desse pessoal é muito perigoso, se eu der bandeira já era; caramba, que vigilância casca-grossa, o que será que esse pessoal protege...?

— Pois se apresse – disse Osongbo –, antes que passe um voador por aqui. Será que a tenente Adeyoye errou na avaliação? As expectativas em cima dos teus poderes foram exageradas?

— Que maluco chato! – Nina reclamou. – Não tá dando pra burlar, vou ter que dar um blackout geral no prédio então. Cês vão ter no máximo dois minutos pra fazer o serviço, talvez menos, antes que o sistema volte. Beleza?

— Espera, Nina – disse Arolê –, ainda não me deram um dispositivo novo pra visão no escuro; o meu quebrou na missão passada...

— Sério...? – disse Osongbo. – Quer dizer que esses teus sentidos sobrenaturais são uma mentira? Você atingiu notas máximas nos testes de percepção espiritual... isso não passou dum engodo? Você é uma fraude, meu caro Arolê?

Arolê não respondeu, apenas grunhiu. Osongbo sorriu.

— Senhorita Oníṣẹ – disse Osongbo –, por gentileza, desligue tudo. Estamos prontos.

— Certo...

Os olhos da Nina se reviraram. As luzes do prédio se apagaram por completo; João Arolê e Jorge Osongbo então desapareceram.

*Apareceram no interior de um quarto. Total escuridão. Arolê detectou algumas formas de vida, não conseguia precisar quantas. Eram pessoas. Seus alvos.*

*Imediatamente, Osongbo se moveu com a lança em mãos; sem tempo pra analisar ou pensar mais a respeito, Arolê fez o mesmo.*

*Durou menos de um minuto. Arolê, sacou a lança, deslizou pelo espaço; golpeou a pessoa que respirava bem na sua frente; esta gorgolejou, morreu antes de perceber o que a havia atingido; em seguida, Arolê acertou outra que estava logo atrás, que também não teve tempo pra gritar; Arolê se moveu, golpeou alguém que havia tropeçado nele; esse alguém soltou um gemido; por fim, Arolê perfurou a garganta de uma quarta, que tentava fugir; essa pessoa foi de cara pro chão.*

*E então, as luzes se acenderam.*

*E aí, o Arolê viu.*

*— Socorro... não... quero... morrer...*

*Era uma criança. Com a garganta perfurada. Seu sangue gotejava na lança.*

*João Arolê arregalou os olhos. No chão encharcado de vermelho, havia nove crianças; idades aproximadas de seis a dez anos. Todas com perfurações nos olhos, garganta. Paredes brancas manchadas com sangue, que escorria bem devagar. A lança do Arolê gotejava. João Arolê tremia. Ficou olhando pra criança aos seus pés; a criança puxava a sua perna. Uma menininha, uma bonita menininha de trancinhas.*

*Arolê ficou olhando, com os olhos arregalados. Tremia. A menina tentava balbuciar, mas era difícil falar enquanto se afogava no próprio sangue. Ela olhou nos olhos do Arolê, e o Arolê olhou nos olhos dela. Os olhos do Arolê se arregalaram ainda mais. Os olhos dela estouraram quando apareceu o Osongbo pisando na sua cabeça, espatifando seu crânio. Osongbo pegou o Arolê pelo pescoço, e com ele desapareceu dali.*

*Apareceram no alto do prédio; Osongbo pegou a Nina desacordada, e com ela desapareceu; foi dando vários saltos consecutivos, Arolê não contou quantos, até chegarem numa esquina vazia, em meio a latas de lixo para reciclagem. Osongbo largou a Nina inconsciente; socou a cara do Arolê; depois chutou seu rosto no chão; chutou de novo, chutou mais uma vez; e de novo, de novo; aí, suspendeu a cabeça do Arolê pelos dreads; com uma apatia frustrante, olhando bem nos olhos de João Arolê, Jorge Osongo disse:*

*— Você sabia? Na aldeia, os caçadores são os únicos com permissão para portar armas. O que você acha que estamos fazendo aqui? Nosso dever é proteger as pessoas. Proteger desses criminosos, desses assassinos. Dessas anomalias. Não eram crianças. Eram coisas. Aberrações. Já te disse um monte de vezes. Por que se recusa a entender? Ou melhor, por que se esforça tanto pra fingir que sofre com isso? Você ainda se considera um caçador? Lamentável... Fica aí no lixo então. Não precisa mais voltar...*

*Jorge Osongbo desapareceu. Nina ainda jazia inconsciente no chão. João Arolê ficou ali, caído, todo torto, no meio do lixo, olhos arregalados, piscando, nariz arrebentado, rosto empapado do seu próprio sangue, seu traje negro banhado com sangue das crianças que havia acabado de matar; João Arolê continuava piscando, olhos se enchendo de lágrimas, piscando sem transição, sem se mexer, sem emitir outro som que não fosse a sua respiração, todo torto no meio do lixo, abandonado num beco desses qualquer.*

— Eu... não mereço estar vivo... – sussurrou João Arolê.

— Caçador... agora não é a melhor hora pra... Abaixa!

Maria Àrònì enfiou a cabeça do Arolê no meio do arbusto no qual estavam escondidos. Estavam no pátio da Casa de Apresentações Viviane Oluwalonimi, Setor 7 da Treze. Pátio repleto de arbustos recortados e grama baixa; no centro, esculpida em pedra, uma fonte na forma da sacerdotisa ancestral Oluwalonimi. Maria fez Arolê se abaixar no momento em que apareceram oficiais da Aláfia Oluṣo, de branco e vermelho, armados com lanças *laser*; os oficiais começaram a vasculhar pelos arbustos, e iam aparecendo mais e mais deles. Maria sussurrou:

— Caçador, tira a gente daqui.

— Eu não deveria estar vivo – sussurrou Arolê pra si mesmo. – Os gritos, os gritos nunca vão parar, nunca...

— Acorda, Caçador!

Um oficial apareceu atirando no momento em que Maria exclamou; ela não estava mais lá; quando o guarda se virou, encontrou o punho de João Arolê bem no seu nariz; um oficial soou o alarme, todos os demais se viraram; um saltou na direção do Arolê, que desviou e apareceu por trás; acertou um chute nos rins do oficial, que se virou para golpeá-lo assim mesmo; um enorme pedaço de pedra voou na direção do Arolê; o caçador pegou o pedação de pedra com seu braço metálico e arremessou de volta ao guarda que se concentrava com as mãos na cabeça; Arolê se teleportou atrás de um oficial que havia aparecido de repente, golpeou-o no pescoço; outros dois oficiais vieram correndo, Arolê acertou o cotovelo na cara de um, se teleportou atrás do outro, acertou na cabeça; veio um na frente de Arolê e lhe deu um soco, Arolê defendeu com o braço biônico e com o braço biônico jogou o cara de cara no chão.

João Arolê olhou pros oficiais caídos, inconscientes ou se contorcendo de dor; se virou pra Maria; que estava com uns dez ou mais agentes caídos aos seus pés; estava em posição de combate, com seu bastão negro de madeira nobre.

— Nem preciso usar as minhas... habilidades sobre as plantas, digamos assim, para lidar com uns capachos desses – disse Maria, girando o botão por cima da cabeça. – E aí, Caçador, melhorou essa cabecinha sua?

— Não – respondeu Arolê, com sinceridade.

— Vamos sair daqui.

João Arolê tocou no braço da Maria e com ela desapareceu.

*"Os gritos. Nunca. Irão. Parar."*

João Arolê, junto da Maria Àrònì, deu vários saltos pelos Setores da Treze. Despistaram outros oficiais, nocautearam outros tantos. Até pararem numa sala subterrânea, em algum lugar do Setor 7.

Aqui é um dos meus refúgios secretos – disse Arolê –,graças à tecnologia aprimorada pelos poderes da Nina; é praticamente impossível nos acharem neste lugar. Podemos respirar tranquilos por um tempo...

Uma sala pequenina, ventilada, com aspecto confortável; cadeiras, mesa de madeira, roupas, estatuetas, alguns equipamentos, dispositivos. Arolê ofereceu cadeira pra Maria; foi até o refrigerador, pegou chá gelado; beberam vários goles; Arolê pegou umas frutas modificadas, superfrescas e suculentas; mordiscaram uns nacos; ficaram ali mastigando, olhavam nos olhos um do outro.

— Me desculpe... – disse Arolê, de repente.

— Desculpar por quê? – perguntou Maria ainda mastigando um último pedaço.

— Por ser tão bosta...

— Ah, Caçador...

Foi então que João Arolê largou a fruta e afundou a cabeça entre as mãos; falou um monte, de uma só vez:

— Você não tem noção. Eu só queria era ser astronauta. Mas acabei virando um assassino. Só queria viajar pelo universo. Sinto o gosto de sangue na minha boca sempre que como qualquer coisa. Queria ser um orgulho pros meus pais. Matei pessoas. Matei crianças. Só vejo sangue. Pesadelos. Todos os dias. Quero matar. Eu sempre quero matar. Me acostumei a matar. Lança no pescoço. Nos olhos. Perfurando até o sangue jorrar. Matei um monte de gente. Matei crianças. Eu sonhava com uma nova era, sem maldades, sem crimes. Como é que mortes podem criar uma era nova? Criminosos, anomalias. Me ensinaram que não tinha jeito. Um assassino. Minha mãe me ensinou que a vida é determinada pelos ancestrais. Muitas vezes me volta a vontade de matar. Lavar sangue com sangue. Matar, matar, matar. Matei pessoas. Matei crianças. Você não vê? Eu só queria ser astronauta. Sangue. Preciso matar. Preciso matar. Preciso me matar. Preciso voltar a ver o sangue jorrar. Sangue. Você não tem noção. Minha mãe dizia que quem mata, na verdade, já nasceu morto. Minha mãe dizia que quem mata tem sangue morto, amaldiçoado. Quero matar. Só queria ser astronauta. Sangue. Queria ver a minha mãe. Como posso encarar a minha mãe?! Matei crianças!!

    João Arolê repetia. Falava monocórdio. Tremia. Repetia as mesmas coisas. Olhava pro chão. Balbuciava. Se repetia de novo. Parecia um verme desses qualquer. Quando se deu conta, Maria Àrònì já estava abraçando-o bem forte. Ela disse:

    — Sabe? Os ancestrais também erraram muito. Baba Odé desrespeitou tabu sagrado, caçou em dia que não era pra caçar; Baba Odé desobedeceu à ordem divina e foi fazer o que quis, pensando só em si; em vários relatos, mitos, histórias, Baba Odé Ọṣọ́ọ̀sì, e seus irmãos e irmãs ancestrais, também cometeram assassinatos, atrocidades, traições... Percebe? Nós somos representações vivas dos nossos ancestrais. Dentro de nós há o pior, mas também há o melhor. Ancestral não quer te ver infeliz, ancestral não quer que você repita os erros que ele cometeu; ancestral quer que você extraia o melhor de si, ancestral quer que você acerte onde eles erraram. Acima de tudo, ancestral quer você feliz. Ontem, você matou crianças; hoje, você as salva. Você não vê? Você sabe o que você é: um caçador, um protetor. Um herói.

— Eu... eu...

Maria Àrònì pegou o rosto do Arolê e olhou-o bem nos olhos.

— Todas as coisas vivem, Caçador. Todas as coisas vivem. Há muita vida antes da morte. Viva, Caçador João. Viva. Continue protegendo vidas. Proteja sua própria vida. Não sofra mais sozinho... E realize seu sonho de ser astronauta. Sim, viva para tornar seus sonhos realidade...

João Arolê abraçou Maria, sentiu o calor do seu corpo. Percebeu que ela também estava chorando. Ficaram assim abraçados, calados, por um tempo...

...até que, de repente, Maria empurrou Arolê pro lado, se levantou rápido, sacou seu bastão... tarde demais; a lança do Osongbo já tinha perfurado bem fundo a garganta dela...

...João Arolê ficou ali parado, olhando pra Maria, pendurada pela garganta na lança do Osongbo, que estava em pé na mesa, sorrindo pro Arolê, que ficou ali parado, naquele momento que parecia uma eternidade...

...até que uma das paredes explodiu; Osongbo escapou por pouco dos disparos de fuzis *laser* do robô de segurança; Osongbo reapareceu atrás do Arolê, pronto para golpear; só que aí se virou e desapareceu de vez, para escapar dos vários dispositivos *laser* acionados pela Nina, que havia acabado de chegar dando pontapé na porta.

Mas Arolê não viu nada disso; só saiu do torpor no momento em que Osongbo soltou Maria; correu até ela, segurou-a antes que ela tocasse o chão. Ficou olhando pra Maria Àrònì em seus braços, gorgolejando sangue, segurando a garganta com uma das mãos; com a outra, ela tentava alcançar o rosto do Arolê. Maria então deu um último espasmo, fazendo jorrar sangue da boca; suas mãos foram ao chão, e ela ficou completamente imóvel.

João Arolê ficou ali parado, olhando.

Nina estava em pé, também olhando. Não conseguia falar nada, apenas deixar as lágrimas caírem... Aí, ela viu João Arolê se levantar bem devagar; tremeu quando viu que o rosto do Arolê era uma careta de ódio puro.

— Cuida da Maria, Nina – vociferou Arolê. – Vou atrás dele *agora*! Vou *matá-lo*!!!

## 19. O Surto 5
### (Ódios Esquartejantes Remix)

*Alô? Oi, mãe. Como a senhora está? Tô falando da base do esquadrão. Sim, é linha segura, mas não 100%. Pode falar, mas com cuidado. Mãe, é seguro; não tem nada no mundo que seja 100%. Sim, o amor das mães pelos filhos é sempre 100%... Ah, só você, mãe! Me conta. Como a senhora está se saindo? Entendo. É, é complicado. Não, não me diz onde a senhora está! A linha é segura, mas não 100%. Sinto a sua falta também. Tudo bem. Estou me virando aqui. Se eu gosto? Não posso dar minha opinião aqui. É. Complicado. Pensando melhor, essa linha não é nem um pouco segura. Nada é seguro aqui. É. Não sei. De uma forma ou de outra, estou aprendendo bastante. Tenho que me virar, né? Sim. É. Ah, papai? Não sei... Deve estar trabalhando em... Prefiro não pensar. Melhor a senhora não pensar também. É que, quem é reeducado, geralmente não... É. Geralmente. É, não... não tem mais volta... É. Enfim. Eu sei, o programa Astronauta Azul, eu sei... Vou ver, vou ver. Eu sei que é meu sonho, eu sei. Vou ver... Bom. Melhor a gente parar por aqui... É. Mas tudo bem. A gente dá um jeito. Vai dar tudo certo. Vai sim.. Sim. Vou-me então. Sim, a gente vai se rever um dia... Vai sim. Até, minha mãe. Também te amo. Até...*

— Espera!
— Sim?

— *Por favor, prometa pra sua mãe! Não sei o que eles te obrigam a fazer aí, mas seja lá o que for, por favor, não mate pessoas! Não seja um assassino! Por favor, meu filho, aconteça o que acontecer! Promete pra sua mãe?*
— ...
Clic.
Finalmente, havia chegado a noite de comemorações da Libertação Láurea, na Rua Treze de Ketu Três, a Cidade das Alturas.
O Palco Principal das comemorações estava montado bem no meio do Setor 9 da Treze. Completamente lotado. As calçadas de pedra porosa e a rua de pedra lisa, as praças, as lojas, as livrarias, as bancas de jornal, os cinemas; tudo tomado por pessoas de todos os tipos. O trem da Linha Treze chegava à estação, vomitava um mundaréu de gente de todos os cantos da cidade, de todos os Setores, até mesmo dos extremos 1 e 13; um festival de cabelos de todos os tipos; os *blacks* mais sensacionais de todos os tempos: castanhos, vermelhos, brancos, azuis, roxos, amarelos, de todos os tamanhos, todos muito bonitos; tranças e mais tranças: enraizadas, soltas, finais, grossas, tranças presas em coques no alto da cabeça, tranças amarradas, enroladas em si próprias, brilhando, faiscando; *dreads*: pontinhas curtas, grossas, curtos, longos; cabeleiras esculturais, todos os tipos de crespos, cachos e encaracolados que se podia imaginar; um festival

de roupas: lenços, turbantes, panos, mantos, batas, camisas, camisetas, shortinhos, bermudas, calças, saias, vestidos, ternos, colantes, peças e mais peças, brancas, pretas, supercoloridas, padrões geométricos, psicodélicos, desenhos que se moviam sozinhos, roupas incríveis, poderosas, radiantes; as peles: as mais belas das belíssimas pessoas de Ketu Três, todos melaninados; as peles dos descendentes do Continente, dos ancestrais do Mundo Original, dos amarronzados mais clarinhos aos tons mais negros, peles macias e brilhantes, lisas, com tatuagens, com escarificações, com implantes cibernéticos; dispositivos de todas as marcas, todos os tamanhos, desde as engenhocas de beleza rude dos mais humildes aos aparelhos arrojados dos mais abastados; era tanta gente que parecia que tinha vindo gente do Mundo Novo inteiro!

E então, o Palco Principal. Diversas personalidades e celebridades estavam lá, professores universitários, empresários, diretores corporativos, artistas, sacerdotes, anciãos, todos *ẹmí ẹjẹ*. Estavam em pé, alguns flutuando no ar, divididos em duas fileiras nas extremidades laterais do palco. Foi então que se estendeu o tapete vermelho e viraram os holofotes para um homem baixo, barrigudo, que vestia um terno branco e tinha um *black power* enorme; veio girando nos próprios pés, derramando para todos os lados a afetação que lhe era característica; sua imagem apareceu no grande telão, e em todos os telões holográficos espalhados em todos os cantos da cidade, em todas as televisões, de todas as pessoas de Ketu Três. Ele disse:

— Rainhas e reis de Ketu Três, a Cidade das Alturas! Eu, Formoso Adaramola, pessoalmente os felicito imensamente pelo dia de hoje! Estamos aqui, transmitindo ao vivo para toda a cidade, o Grande Desfile Ancestral da Libertação! Está passando em todos os canais de todas as emissoras! Vamos celebrar juntos, todos nós que somos poderosas e poderosos na benção dos ancestrais! Mas, desta vez, não sou eu quem vai falar. Agora, peço a atenção de todos vocês, rainhas e reis, pois é com orgulho estupendo, com reverência extrema, com respeito máximo e supremo, que passo a palavra para a mais velha de toda a nação! A grande matriarca de Ketu Três! A Ceo do Conglomerado Ibualama! A sacerdotisa do nosso grande Baba Odé Ọṣọ́ọ̀sì! Rainhas e reis, com vocês... a excelentíssima senhora Presidenta Ibualama!

Aplausos ensurdecedores de todos os cantos da cidade. De todos os cantos mesmo – desde os sobrados carcomidos do Setor 1 até às mansões flutuantes do Setor 13. Aplausos e mais aplausos, e todos, todos mesmo, abaixaram a cabeça para a entrada da anciã no palco.

Sentada em um trono metálico flutuante, repleto de amuletos e símbolos de poder, estava uma senhora pequena, mirrada, e, ainda assim, a maior e mais impressionante pessoa possível; uma saia branca enorme, de camadas intermináveis, camisas brancas com dobras e babados sem fim, que se movimentavam sem parar; em seus braços, incontáveis braceletes, de várias cores, de vários materiais, de cristais a metais, madeira e pedra, assim como os fios sem fim no seu pescoço; escamas infinitas de turbantes brancos, cujas amarrações pareciam mudar a todo instante; pele extremamente enrugada, mais negra que a totalidade ancestral de todos os universos. E, qualquer que fosse a distância em que estivessem, todos pareciam ser capazes de enxergar aqueles olhos mais profundos que a escuridão primeva do início dos tempos.

Era a primeira vez nos últimos cem anos que a Presidenta Maria Stella Olumayowa Odé Guiaga Ibualama se apresentava em público. Ela que tinha, dizia-se, mais de quinhentos anos de idade.

E então ela disse. E todos na cidade ouviram. Todos. Pois sua voz se projetava e atravessava todos os espaços, e alcançava todos os cantos possíveis:

*"Tudo começou quando Olódùmarè sonhou uma história sobre o universo. Seu sonho foi tão forte, tão poderoso, que acabou criando tudo o que existe.*

*Tudo se inicia e termina com uma história. Pois, no fim, a história é o que importa.*

*Por isso, vou contar uma para vocês.*

*Havia o Mundo, que mais tarde foi chamado de Mundo Original. No Mundo, nasceu a Mãe, o Continente, a terra de onde nasceram todas as pessoas. Do ventre da Mãe nasceram os filhos, as rainhas e reis descendentes dos ancestrais. As filhas e filhos viviam bem; às vezes tinha conflito, mas também tinha alegria; às vezes tinha guerra, mas também tinha amor; e tinha respeito, a dedicação ao ancestral. Respeito às mães, às anciãs, às líderes e aos governantes do povo. Respeito dos pais, guerreiros e sábios, auxiliares das rainhas. Respeito dos mais novos, respeito ao futuro. As filhas e filhos viviam bem.*

*Aí vieram as naves dos alienígenas. Barcos voadores invadiram o Mundo. Os alienígenas violentaram a Mãe, arrancaram os filhos do seu ventre. Sequestraram pessoas, acorrentaram-nas como se fossem animais. Levaram para outro Mundo, que mais tarde foi chamado de Mundo Novo. Os alienígenas agrediram o Mundo com lixo e poluição, e escravizaram os filhos do Continente com violência e ódio.*

*Mas a força dos ancestrais está com seus filhos e filhas. A força ancestral despertou, e os filhos do Mundo acabaram com os alienígenas. Conquistaram a liberdade com as suas próprias mãos, e fizeram do Mundo Novo o seu novo lar. E o Mundo voltou a sorrir para os seus filhos e filhas.*

*O fim dos alienígenas significou o nosso novo começo.*

*No Mundo Novo, nossa linhagem recomeçou aqui em Ketu Três. De Èsú a Osalá, cada heroína e herói ancestral tem a sua casa, a sua cidade, seja no Òrun, seja aqui no Àiyé, seja no Mundo Original, seja aqui no Mundo Novo. Esta cidade, Ketu Três, é a casa de Odé Ọṣọ́ọ̀sì neste mundo. Ele é o dono desta cidade, e a ele devemos nossas graças, nossa alegria e nosso amor.*

*Os ancestrais habitam todas as coisas; da menor pedrinha à maior das montanhas; do pequeno parafuso às grandes máquinas. Os ancestrais são as forças vivas da natureza. Os ancestrais vivem dentro de todos nós. Por isso, nossos corpos são templos; sendo o corpo um templo, temos o dever de cuidar desse local sagrado, que somos nós mesmos; para que o ancestral possa se acomodar, e agir, e dar energia à nossa cabeça, e ao nosso coração.*

*Ouçam a palavra dos mais velhos; o velho, mesmo curvado, sempre está de pé.*

*Muita coisa mudou desde a libertação conquistada pelos avós dos nossos avós. Tudo muda. Menos Olódùmarè, esse nunca muda.*

*Então, que possamos mudar pra melhor. Que possamos nos unir uma vez mais. Estamos aqui para ajudar uns aos outros. Que tenhamos sempre inspiração para fazer coisas belas. Que Olódùmarè e os ancestrais sigam nos ajudando sempre a produzir o melhor possível. Que Babá Mi Odé Ọṣọ́ọ̀sì nos abençoe. Okê Arô!"*

Quando terminou, a Presidenta Maria Stella Ibualama, Ceo do Conglomerado Ibualama, líder do conselho de Ceo$_s$ anciãs psíquicas, voz soberana das Corporações, chefe de todos os corporativos e trabalhadores de Ketu Três, e alta sacerdotisa de Odé Ósòòsí, se virou e se retirou devagar em sua cadeira flutuante. Palmas ensurdecedoras se esparramaram outra vez por toda a cidade. A festa havia acabado de começar!

No alto da Torre Igbo, em meio às grandes comemorações da Libertação Láurea que tomavam toda a cidade, respeitosamente ajoelhado de cabeça baixa, João Arolê ouvia o pronunciamento da venerável Presidenta. Arolê vestia camisa branca e calça azul, que vinha usando desde a viagem de fuga pela cidade junto da Maria; os *dreads*, presos num coque na parte detrás da cabeça; o fio de contas azul-turquesa por debaixo da camisa. As tatuagens brancas do lado direito do corpo estavam frias como a morte. Quando a Presidente Ibualama terminou de falar, ele abriu os olhos, e se levantou. E olhou para Jorge Osongbo.

Osongbo estava em pé, vestindo o mesmo colante cinza que usou na ocasião da Casa de Cultura Laura Ayokunle; diversos microdispositivos espalhados pela roupa; os pelos do corpo pareciam todos raspados, inclusive a sobrancelha. Os dentes, todos de metal, afiados como presas de animal. Olhava para Arolê; então, com a calma desapaixonada que lhe era característica, disse:

— A Presidenta Ibualama é realmente algo incrível... Ela conecta tudo e todos. Todos os espaços. Ela é capaz de estar presente em todos os lugares ao mesmo tempo, caso queira... Para muitos, ela seria uma anomalia. Só que ela alcançou esse nível absurdo de poder com muita dedicação, treinamento e devoção aos ancestrais ao longo de séculos, e não de uma hora para outra como essas malditas anomalias e aberrações que nós caçamos. Você sabia que o dom dela é a expressão máxima dos nossos dons sobre o espaço? Esse é o maior talento dos caçadores ancestrais: expandir-se além de si, viajar através do desconhecido, e retornar com as dádivas do conhecimento. O que você chama simplesmente de "poder de teleporte" é muito mais que isso. Se você se desse o trabalho de explorar o seu verdadeiro potencial.

João Arolê nada disse.

— Você – Osongbo continuou –, um dos únicos cuja capacidade é capaz de rivalizar com a minha. Por isso, eu tinha que te libertar. Da mesma forma que você e Onísẹ me libertaram do Paulo, eu te livrei daquela imitação de curandeira. Aquela maldita anomalia de espíritos sinistros da mata...

Os lábios de Arolê trincaram um pouco; continuou olhando pro Osongbo, sem dizer nada.

— O que que vai fazer além de ficar me olhando? O que pretende?

João Arolê continuou sem responder; Jorge Osongbo, mantendo sua calma intensamente desapaixonada, seguiu com seu solilóquio:

— O esquadrão secreto de supressão, no qual eu e você fomos criados. Muitos dos traumas que você carrega hoje, na sua alma, são por causa desse esquadrão. Nos doutrinaram pra matar pessoas. Nos ensinaram que a morte das pessoas certas é capaz de mudar o mundo. Matamos muitos, por eles e para eles. Após longos anos de serviços prestados, tentam nos descartar, como se fôssemos lixo. Nos sequestraram quando éramos crianças, nos usaram, abusaram, nos jogaram fora. Mas eles estão certos numa questão: a morte é sim capaz de mudar o mundo. E é isto que eu estou fazendo: salvando o mundo. Eu sou o único capaz de fazer isso. Nos ensinaram tão bem a matar que hoje eu consigo matar quem eu quiser. Sim, matar é errado. Sim, é contra a ordem natural determinada pelos ancestrais. Mas, você não vê? Eles já se matam, todos os dias. Eles vivem pelas mortes dos outros. Eles se tornaram quase tão destrutivos e egoístas quanto os alienígenas que sequestraram e escravizaram nossos antepassados. Por que eu deveria continuar me desperdiçando, ajudando esses vermes que parasitam o mundo?

Mais uma vez, Arolê não respondeu; Osongbo, cada vez mais teatral na sua apatia exagerada, continuou:

— Esquadrão secreto de supressão. O que é o esquadrão senão uma gangue de assassinos a serviço dos Ibualama? A linhagem Ibualama, a mais antiga e venerável das linhagens de caçadores. Eles, aliás, as famílias nobres, só se importam consigo mesmos. Assim como você, se acomodaram no mundano, deram as costas para o divino. Se afundaram em vícios, depravação, crimes. A única diferença entre organizações criminosas do submundo e as Corporações é que as Corporações são legais. As Corporações, as grandes linhagens, são o governo. Aqueles que deveriam guiar e proteger a humanidade. Nossos poderes sobrenaturais são uma dádiva concedida pelos ancestrais, para que possamos elevar este mundo à perfeição com nossas próprias mãos. Todos que abrem mão do seu dever devem ser punidos. E sou quem os está punindo. Como caçador, devo seguir eliminando todos os que parasitam esta terra, esses que trazem infelicidade e tristeza às pessoas. Você entende?

    João Arolê apenas estreitou os olhos; gradativamente, Jorge Osongbo ia ficando mais e mais alucinado no seu discurso forçosamente desprovido de paixão:

    — Ora. Não nos ensinaram que devemos matar os bandidos? Principalmente esses que a lei das Corporações não alcança? Então, por que eu deveria parar? Por que eu deveria matar apenas os criminosos que ameaçam os interesses deles? Ora. Temos que matar *todos*. Todos os que apodrecem esta cidade. Você matou o Paulo. Não sinto raiva de você, de verdade. Você fez o certo; Paulo e sua família, na verdade, eram criminosos. Criminosos que desviavam dinheiro, para financiar livros de arte decadente. Uma afronta aos antepassados. Por isso, sou muito grato a você, meu caro Arolê. Você me libertou!

Osongbo abriu os braços, finalmente liberando exclamações espalhafatosas:

— Você me libertou! Você me libertou! Depois que você e Onísẹ mataram o Paulo, eu voltei... e matei todos os familiares dele! Todos! Você me libertou! Sou muito grato! De verdade! Não sinto raiva nem ódio, apenas alegria! Alegria! Como amostra do meu mais sincero agradecimento, eu te libertei! Você não vê? Não é capaz de perceber?! Estou mudando o mundo! Estou salvando o mundo! Estou construindo um novo mundo de verdade! Um mundo livre dos corruptos, das anomalias que infestam esta terra! Estou eliminando as partes mais feias da existência, para que a existência em si retorne à suprema tranquilidade do início dos tempos! Essa é a paz almejada pelas grandes divindades ancestrais!! Essa é a minha jornada épica como herói do Continente! Esta é a minha grande missão! Eu sou o herói que está salvando o Mundo Novo! Somente eu sou capaz! Somente eu! Eu estou me tornando o maior herói de todos os tempos e eras!!

— Quando Jorge Osongbo terminou seu solilóquio, seu rosto mais parecia uma máscara caricata; seus olhos estavam arregalados, injetados de sangue; sua boca babava. João Arolê continuava olhando, quieto; após um tempo, disse, finalmente:

— Você não é nenhum herói. É só um assassino lunático, cheio de ódio.

— Ora!! – retrucou Osongbo, babando e tremendo. – Você também é um caçador! Um caçador! Como não consegue me entender?!

— Eu ia falar pra você se matar... Mas, vejo que já está morto há muito tempo...

A face já distorcida do Osongbo se transformou numa careta de ódio puro:

— Seu monte de bosta!! Me dei ao trabalho de explicar minhas motivações! Me dei ao trabalho de matar aquela vadia!! E é só isso que me diz? Só isso?!

João Arolê ficou olhando pro Jorge Osongbo. Esticou o braço; a lança apareceu na sua mão. As tatuagens pareciam estar em brasa. Apontou a lança para o Osongbo. E disse:

— Tem razão, Osongbo. Não vim pra conversar... Vim aqui pra te *esquartejar! Seu doente desgraçado!!!*

Osongbo sorriu. Lambeu os próprios dentes de metal afiados. Fez surgir a sua lança.

— Finalmente... Vou te fazer *em pedaços! Você não passa de lixo imundo!!!*

E então, os dois desapareceram.

Apareceram nos céus de luzes e hologramas, trocando golpes e mais golpes com suas lanças, que faiscavam a cada toque, a cada choque, desapareceram e apareceram quase no mesmo lugar, depois a vários metros de distância ainda no céu, acima e abaixo, tentavam perfurar um ao outro, um atacava e o outro repelia e então este atacava e o outro defendia, às vezes se atacavam ao mesmo tempo no mesmo ponto e as lanças faiscavam, trocavam ferimentos, carne perfurada, sangue, rosnavam a cada golpe, olhos vidrados, o olho de safira azul do Arolê registrando todos os movimentos do Osongbo, os óculos eletrônicos do Osongbo registrando todos os movimentos do Arolê, desapareciam e reapareciam; apareceram no interior dos prédios, dentro de escritórios, corriam sobre as mesas, saltavam, tentavam se acertar no ar, desapareciam e reapareciam vários andares abaixo, apareciam em quadras abertas, tentavam se acertar com socos e chutes, davam cambalhotas, piruetas, saltavam, pegavam coisas do chão e atiravam, apareciam dentro de lojas, vidros quebrados e alarmes tocando, se engalfinhavam por entre as prateleiras, um encostava o outro na parede, nada diziam, apenas rosnavam, grunhiam, chutes, socos, pontapés, lanças, Arolê esticou o braço de metal tecnorgânico; Osongbo revestiu seu punho com energia dos dispositivos de sua roupa, se socavam com punhos de força aumentada, arrancavam sangue um do outro, arrancavam dentes, estavam já cheios de

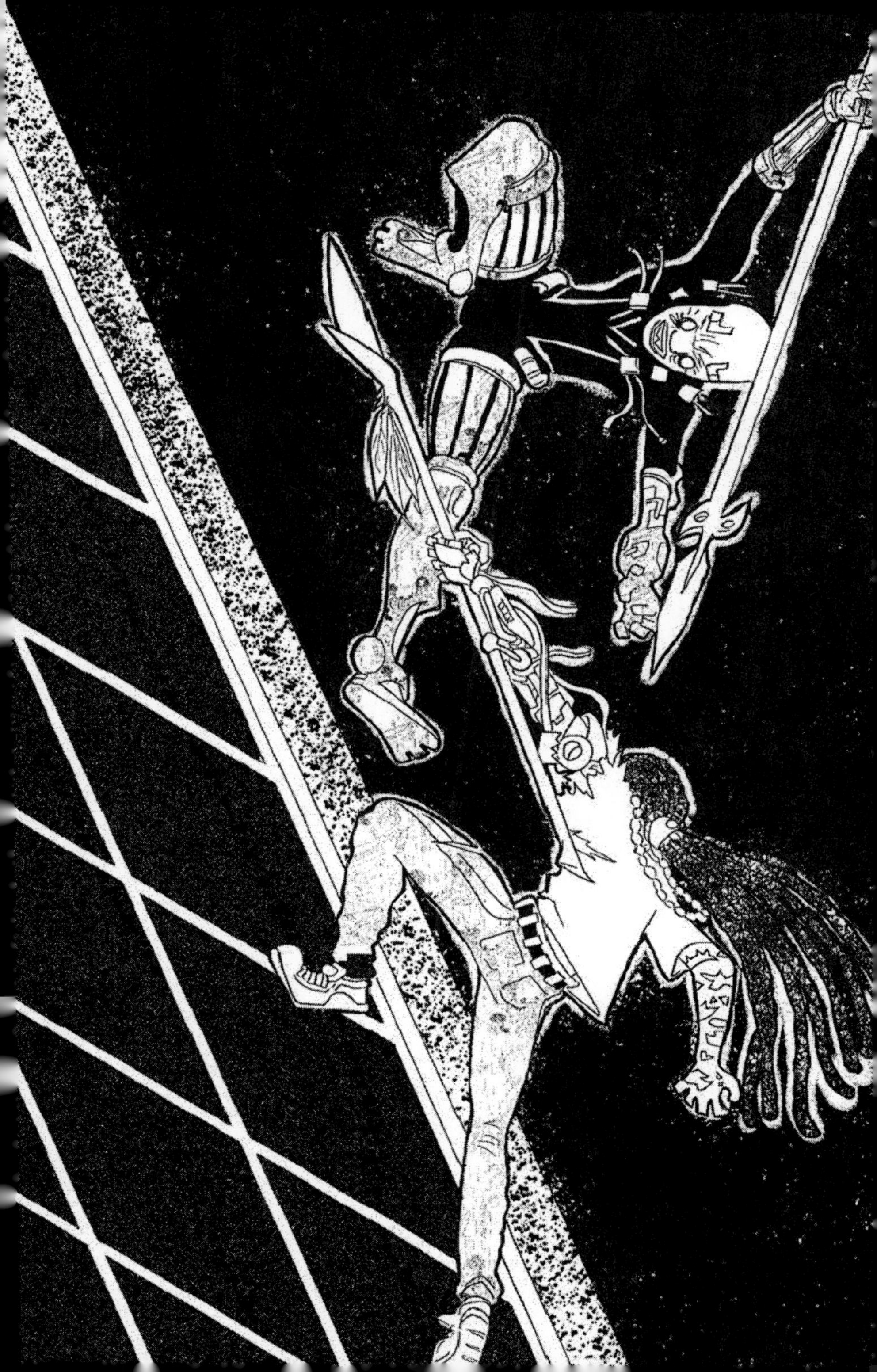

hematomas, cheios de cortes, músculos rasgados, ossos quebrados, não sentiam dor, não sentiam nada, apenas ódio, ódio e ódio; rosnavam, grunhiam, desapareceram e apareceram no meio do desfile, desviavam dos golpes um do outro, quase acertaram pessoas ao redor, pessoas correndo e gritando, guardas aparecendo, desviavam dos guardas e sumiam de novo, apareceram nos céus novamente, no meio do trânsito de carros voadores, se engalfinhavam, se rasgavam, cuspiam sangue e dentes quebrados, desapareceram e reapareceram no alto da Torre Igbo, entre luzes e hologramas, os corpos completamente feridos, trêmulos, o espírito de ambos já havia sobrepujado o corpo; continuavam, lança contra lança, desviavam dos golpes na última hora, tentavam fintar o adversário, erravam, ofegavam, rosnavam, rosnavam ofegando, Osongbo disparava bombas esféricas à queima-roupa, Arolê as socava pro alto com seu braço biônico, explodiam no céus, entre os fogos e *lasers* do Grande Desfile, continuaram se rasgando, se perfurando, se socando e se chutando, se rasgando, se perfurando, até que os corpos eram praticamente trapos de carne ensanguentada; continuaram assim mesmo, rosnavam e se rasgavam, rosnavam...

...até que, voltando ao mesmo prédio onde haviam começado, acabou que Arolê, no limite da exaustão, tropeçou para a frente; Osongbo aproveitou, mirou no coração, acertou; só que essa área do peitoral do Arolê era coberta de metal tecnorgânico; a lança do Osongbo acabou ficando presa... Arolê, já quase de joelhos, esticou seu braço biônico e pegou no ombro do Osongbo, segurou firme; o braço tremeluziu, alucinado, enquanto o tecnovírus foi se espalhando pelo traje do Osongbo; e então, Osongbo começou a ter uns tremeliques, foi caindo para trás; os dispositivos da sua roupa foram estourando em faíscas, arruinados pela virose tecnorgânica do Arolê; vários vermes espirituais acabaram se libertando desses dispositivos, foram se servindo do Osongbo, que se contorcia no chão, todo destruído, todo torto.

João Arolê caiu de joelhos; trêmulo, arfando o inferno, tentando tirar a lança do Osongbo que estava fincada no seu peito; foi tirando até sair, toda suja de sangue e óleo; com as duas lanças nas mãos, foi se arrastando até o Jorge Osongbo, que tentava se mexer, mas não conseguia – estava infectado pelo tecnovírus, e dominado por vermes espirituais, *ajoguns* criados pelo seu próprio ódio.

— Vai!... – Osongbo sibilava. – Acaba...! Acaba... logo com isso...! *Acaba!*

João Arolê e Jorge Osongbo eram pouco mais que trapos ensanguentados. Osongbo jazia no chão, todo torto, Arolê mal se mantinha de pé. Este levantou a lança daquele. *Vai logo!*, exigiu Osongbo mais uma vez. Arolê olhou pro Osongbo. Osongbo olhou pro Arolê... Arolê largou a lança do Osongbo, e desapareceu.

— Seu... desgraçado!! – xingou Osongbo. – Covarde! Maldito!! Vou te odiar pra sempre!! *Enquanto meu ódio perdurar, eu sempre vou voltar pra te caçar!!!* Somente eu sou capaz de salvar este mundo condenado! *Somente eu!!!*

Guardas voadores apareceram logo depois de Arolê desaparecer. Apontaram para o Osongbo, que ainda gritava e xingava, se remexendo caído no chão.

Atiraram.

## 20. Todas as Coisas Vivem

— *Última chance. O senhor tem certeza?*
— *Vamos logo com isso, por gentileza* – disse João Arolê.
— *Ótimo.*

*Deitado num leito metálico, numa sala repleta de desenhos que pareciam se mexer pelas paredes, João Arolê viu o braço direito do tatuador, feito de aço e titânio, se transformar numa coisa grande e barulhenta, cheio de agulhas gotejantes; vários tubos de tinta saltavam daquele braço e se ligavam a um grande dispositivo atado nas costas do tatuador; as agulhas penetraram todo o lado direito do corpo de Arolê; ele olhou de relance para os olhos de rubi do tatuador, este totalmente concentrado em seu trabalho; Arolê então ficou olhando para o teto; a dor percorria todas as extensões nervosas do jovem e dava o seu melhor para fazê-lo gritar. Mas João Arolê se manteve calado até o fim da sessão.*

*Passaram-se horas de dor. Até que tudo terminou.*
— *Vamos recapitular* – disse o tatuador, limpando o suor da testa. – *O trabalho que acabei de realizar no senhor, conforme solicitado, é um ẹmí ti òkunkun; ou seja, uma tatuagem na qual um espírito sinistro foi atado à sua pele; esse espírito vai aumentar significativamente seus dons espirituais básicos; mas, em troca, vai se alimentar constantemente de suas*

*emoções negativas: raiva, ódio, medo, tristeza, culpa; quanto maior a intensidades das emoções do senhor, mais o ẹmí ti òkunkun se sentirá satisfeito, e mais suas habilidades irão aumentar, e também maior será a dor que o senhor sentirá. Muita gente me procura em busca de poder puro; morrem rápido por não aguentarem as dores, que são diárias, constantes; espero que os motivos do senhor sejam fortes o suficiente. Mas isso não é da minha conta. Boa sorte.*

*João Arolê olhou pra sua recém-feita tatuagem tribal; rasgava seu braço direito, todo o lado direito do torso, descia até a perna. Arolê se levantou, todo torto, anestesiado de tanta dor; se vestiu, pagou o tatuador; e saiu andando, se esforçando ao máximo pra andar ereto e com dignidade.*

Com dignidade, João Arolê permanecia em pé, apesar de as tatuagens estarem ardendo tanto como no dia em que foram cravadas em sua pele.

Debaixo de uma garoa fina numa manhã de domingo, no interior do Parque das Águas Verdes, João Arolê jazia em pé, como se fosse uma estátua, diante do enorme tronco partido que um dia foi uma enorme árvore repleta de cipós. Olhava para o colar marrom que descansava em cima de um prato de barro. As poucas pessoas que passavam por ali àquela hora da manhã olharam para aquele homem todo rígido, envolto por bandagens, sombrio; passavam por ali, olhavam e se afastavam.

Algum tempo se passou. Nada aconteceu.

Até que aconteceu de alguém de chegar perto de Arolê. Esse alguém chegou bem perto, e disse:

— João...? – disse alguém chamado Nina Oníṣẹ.

— João Arolê parecia ter se esquecido como se fazia para falar; depois de um tempo, conseguiu dizer:

— Oi, Nina.

— Que raridade você me ligar marcando um encontro, né?

— Pois é...

Ficaram quietos mais um tempo. Aí, João Arolê olhou para Nina. Nina olhou para o João. Se abraçaram. A brisa soprou aquele silêncio com suavidade.

— Você... – disse Nina, após um tempo –, você o matou?

— Não.

— Ufa – disse Nina, sinceramente aliviada.

— Se os voadores mataram ele, ou não, não me interessa. Mas eu nunca mais matarei...

— Isso – disse Nina, séria –, isso mesmo. Excelente ouvir isso, João.

— Ele... caiu – Arolê olhou pra própria tatuagem, que ainda ardia. – Foi virado do avesso por *ajoguns*... Poderia ter acontecido conosco...

— Sim...

Mais um momento de silêncio suave. Ficaram os dois olhando pro tronco partido. Os primeiros pássaros da manhã cantavam baixinho.

— Sabe... – Nina começou a dizer –, fomos traídos... a Joana, o Renam, o Alfredo... Eles... a Iṣoṭẹ não existe mais. A Jamila... precisamos achar a menina Jamila...

João Arolê olhou para Nina. Olhou bem nos olhos lacrimejantes dela. Ela viu o olho triste dele. Ele sorriu, e disse:

— Nós vamos encontrá-la, Nina. Descanse um pouco agora. Se não tiver forças para agir, de nada vai adiantar, só vai acabar se matando. Aquela menina é jogo duríssimo, você sabe. Confie nela. Nós vamos encontrá-la sim.

Nina deixou escapar um sorriso.

— É. Você tem razão, João. Vamos encontrá-la sim.

— Fico feliz que você esteja viva e respirando. Isso é o que importa agora.

— Eu também estou feliz que você esteja vivo e respirando – disse ela, sorrindo.

Voltaram a olhar pro grande tronco destruído. Mais um tempo de silêncio...

— Então... – Nina tentou falar. – Bom. É que...

— A Iṣoṭẹ não morreu – disse

— Quê?

— Agora, a Iṣoṭẹ somos eu e você, Nina.

— Quê?!?

João Arolê sorriu. Abriu o maior sorriso possível para ele em muito tempo. Parecia até que ia gargalhar. Estendeu a mão para Nina.

— Vamos descansar um pouco agora... só um pouco. Em seguida, retomamos. Temos muito trabalho pela frente. Ajudar o maior número possível de pessoas, não é isso? Sim. Temos mais o que fazer. Juntos. Minha irmã.

Nina abriu um sorrisão. Deu a mão ao João.

— Juntos, sim! Time Lamúria está de volta, ueba! Mas... só aceito se você prometer que voltará a perseguir seu sonho de virar astronauta...

— Feito... – disse Arolê, sorrindo, apertando a mão da Nina.

— Que lindo! – disse a voz de alguém que se aproximava. – Não é que vocês dois são irmão e irmã mesmo? Acho bom me incluir nesse time aí também, porque o bagulho ficou meio doido pro meu lado, viu? Cês me meteram nessa confusão de vocês e agora acabei me tornando foragida também! Ora essa...

João Arolê se virou. Percebeu que a grama no chão havia crescido e se enredado aos seus pés. Galhos desciam e enxugavam com suavidade as lágrimas da Nina. Toda a área ao redor de Arolê e Nina subitamente parecia mais verde, mais viva, com flores mais cheirosas e perfumadas. Aí, João Arolê olhou a pessoa que vinha se aproximando. E olhou. Olhou. Olhou de novo. Parecia que ia desmaiar. Mas a Maria Àrònì veio e o segurou a tempo.

— Ah, qual é – disse ela –, fazendo pose de gatão se mal se aguenta em pé? Se liga. E aí, é isso, não liga pra mim pra saber se eu tô bem? Só pra tua irmã Nina? A gente já se conhecia, sabia? Fui eu que te remendei quando você se estourou todo bem aqui neste lugar.

— Eu tava tentando contar – disse Nina –, mas o menino João me interrompeu, né?

— Ih, olha esse cara – Maria continuou dizendo com o Arolê em seus braços. – Não sabe nem fazer curativo direito. Depende de mim pra tudo, é? Que coisa chata... Não gosto de homem grude não, melhor você se ligar, hein?

— Nos braços de Maria Àrònì, João Arolê continuava olhando, e olhando. Tentou balbuciar alguma coisa. Não conseguia. Coração batia muito forte, parecia que ia saltar pra fora do peitoral metálico. Até que ele finalmente disse:

Mas... Você estava... Não respirava...

— É porque eu tinha morrido, né? – disse Maria, sem se alterar.

— Que? – disse Arolê, ainda sem ar.

— O seu amigo estava certo – disse Maria Àrònì –, eu sou uma anomalia. Uma aberração...

— Doutora...

De soslaio, Arolê olhou para o pescoço dela. Havia sim uma cicatriz onde a lança do Osongbo havia perfurado; só que parecia uma cicatriz feita em um... tronco de árvore. E aí Arolê percebeu que no corpo dela havia outras cicatrizes semelhantes.

— E aí, pessoal – Maria disse de repente –, vamos tomar um sorvete? Antes que esse aqui desmaie de emoção e tal.

— A gente tem que achar a Jamila... – disse Nina. – A menina deve estar vivendo uma história bem perigosa neste instante em que falamos. Só que eu estou com uma fome monstro, admito...

— Vamos comer então! – exclamou Maria. – Afinal, corpo é templo e ancestral quer a gente bem alimentado! Bora!

— Doutora! – Arolê exclamou de repente, saindo dos braços dela –, pelo amor das divindades ancestrais! Pelo amor! Me explica!

— Não vou explicar nada!! – rosnou ela de repente.

— João Arolê e Nina se sobressaltaram, até se afastaram um pouco; Maria então suspirou; levou a mão à testa, suavizou; falou com mais calma:

— Olha... Nem eu sei direito. Tá bom? Quer dizer, eu sei um pouco. Mas é uma longa história... que eu não quero contar agora. Mais tarde, eu – talvez – conte. Aos poucos. Uma outra hora, outro local. Só que agora temos que achar aquela adorável menina Jamila, não é isso? Então, prioridades; vamos descansar um pouco agora, porque estamos todos esgotados, exaustos. Aí, vamos procurar a menina. E, nesse meio-tempo, talvez eu fale alguma coisa...

— Certo – disseram Arolê e Nina, quase ao mesmo tempo

— Eu vou contar – disse Maria, agora passando a mão no local onde Osongbo a perfurou no pescoço. – Porque eu mesma não sei muita coisa... Eu mesma... tenho medo... tanto medo...

João Arolê veio e a abraçou forte. Maria Àrònì fechou os olhos, deixou que as lágrimas caíssem. Nina Onísẹ sorriu com os olhos úmidos de novo.

Vamos descobrir as respostas juntos – sussurrou Arolê, abraçado –, mas não hoje. Pois hoje, digo que você tem razão, Doutora: todas as coisas vivem! Todas as coisas vivem...

E as tatuagens *ẹmí ti òkunkun* finalmente pararam de arder.

*Havia Osó, que nos tempos antigos era chamado de Otokán Sósó, o caçador de uma só flecha. Osó havia vindo para Ifé, a Primeira Cidade, com a missão de dar cabo do monstruoso pássaro gigante de Ìyámi Eléye, que havia pousado no topo do palácio do rei e estava causando grande terror para a população. Era dia de grandes festas para comemorar a colheita de inhame, porém o pânico havia se espalhado pela Primeira Cidade devido à presença do monstro de grandes asas. Osó então pegou o seu ofá e foi prontamente cumprir a missão que lhe fora designada, valente e corajoso como era; porém, sua mãe temia pela vida do filho, uma vez que o rei de Ifé havia dito que, caso Osó falhasse, seria executado juntamente com outros três caçadores já aprisionados, pois haviam fracassado em lidar com o monstro. A mãe de Osó então consultou um babalaô, que então revelou que o monstro alado havia sido enviado pelas Ìyàmì Òsòróngà, nossas mães feiticeiras, que foram ofendidas por não terem sido convidadas pra festa; a mãe Osó então preparou o ebó recomendado pelo babalaô e sacrificou uma galinha para agradar às feiticeiras, no mesmo instante em que seu filho, após duro combate contra o monstro, preparava sua única flecha; e aconteceu que a flecha de Osó acertou o alvo e liquidou com o monstro das grandes asas – as Ìyàmì Òsòróngà foram apaziguadas e a paz voltou a Ifé. E Osó foi recompensado com grandes riquezas e passou a ser conhecido como Odé Ọṣọ́ọ̀sì....*

João Arolê saiu gotejando do banho. Os *dreads* recém-cortados jaziam no chão do banheiro. Chegou ao espelho. Olhou pro seu rosto, cuja metade direita não era mais titânio reluzente – era pele sintética, escarificada com circuitos discretos, só dava pra ver se chegasse bem perto. Olhou pro novo botão auditivo, que ocupava o lugar onde deveria estar sua orelha, agora no formato real de uma orelha. Olhou pro seu olho direito, que não era mais um monóculo azul, e sim o globo ocular azul, com pálpebra e tudo. Olhou pro seu novo rosto, novamente inteiro. Um bonito rosto. Sorriu.

Olhou pros seus traços naturais. Seus lábios grossos. Nariz redondo. Pele marrom, escura. Olhou pros seus traços de homem descendente do Mundo Original, descendente dos grandes espíritos ancestrais que governam o universo. Sorriu. Olhou pros seus cabelos, agora curtinhos. Cabelos crespos. Enroladinhos. Que cresceriam pra cima daqui por diante. Para formar uma coroa natural. Cabelos crespinhos. Bonitos e cheirosos.

Foi até seu quarto. Ajoelhou-se, realizou uma prece; colocou o fio de contas azul-turquesa de Odé Ọṣọ́ọ̀sì, o Rei Caçador. Pegou uma camisa branca, engomada, bem passada; vestiu-a. Escolheu sua melhor calça, de azul bem clarinho; vestiu-a. Calçou seus pisantes brancos, reluzentes de tão limpos.

Fechou os olhos, respirou fundo. Apertou seu novo botão auditivo, ou seja, sua nova orelha direita. Ligou.

A pessoa do outro lado da linha atendeu à ligação. Arolê falou:

— Olá. Oi, senhora minha mãe. Como está? Primeiramente, perdoe a minha ausência, o meu descaso. Vou explicar tudo pra senhora. Hoje. Agora. Antes de tudo, quero comunicar que, nesta manhã de hoje, eu me inscrevi pra compor a reserva do programa Astronauta Azul. Isso mesmo. Posso ser chamado a qualquer momento pra um processo seletivo. Sim.

Ao mesmo tempo, eu preciso dizer... preciso dizer que cometi atos terríveis, durante os anos em que servi ao esquadrão das Corporações. Cometi crimes que nunca tive coragem de dizer pra senhora... até agora. Sim. Estou falando um monte aqui porque estou muito nervoso. Sim. Sinto muito. A senhora pode me receber? Claro. Claro que pode. Eu sei. Mãe é mãe. Me desculpe. Estou indo. Agora – Arolê terminou a ligação; respirou fundo; então piscou e desapareceu.

    Ontem, João Arolê sofria com pesadelos; hoje, voltava a sonhar rumo às estrelas...

Esta obra foi composta pela BR75 em African Serif (texto) e
Campton Medium (títulos), impressa pela gráfica JMV, sobre
papel Pólen 80g para a Editora Malê, em maio de 2025

**Malê Editora e Produtora Cultural Ltda.**
www.editoramale.com
contato@editoramale.com.br

Esta obra foi composta em Arno Pro Light (miolo),
impressa na gráfica PSI sobre papel pólen bold 90g,
para a Editora Malê, em São Paulo, em março de 2023.